Ja! genau!

Deutsch als Fremdsprache

Kurs- und Übungsbuch

Claudia Böschel

Carmen Dusemund-Brackhahn

B1

Band 1

Cornelsen

Ja genau! B1/1
Deutsch als Fremdsprache

Im Auftrag des Verlages erarbeitet von:
Claudia Böschel und Carmen Dusemund-Brackhahn

In Zusammenarbeit mit der Redaktion: Andrea Finster (verantwortliche Redakteurin) sowie Imke Schmidt

Bildredaktion: Nicola Späth
Projektleitung: Gunther Weimann

Beratende Mitwirkung: Eva Enzelberger, Bernhard Falch, Sara Hägi, Ester Leibnitz, Sabine Roth und Lidia Wanat

Illustrationen: Joachim Gottwald
Layoutkonzept und technische Umsetzung: zweiband.media, Berlin
Umschlaggestaltung: Rosendahl Berlin

Weitere Kursmaterialien:
Audio-CD für den Kursraum ISBN 978-3-06-024170-5
Sprachtraining B1 + DaZ ISBN 978-3-06-024165-1
Sprachtraining B1 + DaF ISBN 978-3-06-020464-9
Handreichungen für den Unterricht ISBN 978-3-06-024174-3

www.cornelsen.de

1. Auflage, 2. Druck 2012

Alle Drucke dieser Auflage sind inhaltlich unverändert und können im Unterricht nebeneinander verwendet werden.

Druck: Stürtz GmbH, Würzburg

ISBN 978-3-06-024161-3

 Inhalt gedruckt auf säurefreiem Papier aus nachhaltiger Forstwirtschaft.

Die Autorinnen im Gespräch

Anstelle eines Vorworts

Ja genau B1?!

Ja, das Lehrwerk ist gewachsen und mit dem Lernfortschritt ist auch Neues dazugekommen. Dabei sind wir unserem Prinzipien treu geblieben und ...

... aber die **Hand** ist gewandert?

Sie ist ein gutes Beispiel für unseren Versuch, **kontinuierliche Arbeitsformen** zu vermitteln, die den Lernenden **Routine** und damit **Sicherheit** geben.

Ja, in den A1-Bänden haben wir damit Dialoge geübt und dann in A2 Textstrukturen. Mit Erfolg, die Nebensätze und Verbkonjugation sitzen. Aber wo ist die Hand jetzt?

Jetzt wird es spannend. Wir bieten auf der letzten Seite einer jeden Einheit einen **Fortsetzungskrimi** zur Lektüre an. Aber natürlich lassen wir die Lernenden damit nicht alleine, hier helfen die fünf Schritte der Hand bei der Erarbeitung und Wiedergabe von Textinhalten.

Dabei ist auch wieder ein Ball im Spiel?

Ja klar. Bewegung und häufige Sprecherwechsel machen den Unterricht lebendiger. Generell ist es uns wichtig, durch sehr **abwechslungsreiche Übungstypen** alle Lernertypen anzusprechen.

Ja, aktive Lernende wünschen wir uns alle.

Wir glauben daran, dass selbstständiges Arbeiten und ein großes Maß an Interaktion im Kurs auch durch ein Lehrwerk gefördert werden kann. Das ist nicht immer leicht. Deshalb bieten wir **kooperative Arbeitsformen** wie „Expertengruppen“ oder „Lernstationen“ immer wieder als feste Aufgabentypen an.

Neues erarbeiten und Altes festigen – das ist ja gerade für diese Niveaustufe sehr wichtig. Man denkt, das ist jetzt bekannt, muss es aber doch nochmal erklären ...

Ja, das kennen wir und haben deshalb eine **zyklische Progression**, das heißt, durch alle Bände hindurch wird Bekanntes immer wieder aufgegriffen und mit dem Neuen da verknüpft, wo es passt. Das sorgt für Aha-Erlebnisse.

Ich unterrichte sehr heterogene Gruppen, da war mir der Aufgabentyp **„Schon fertig“** oft eine Hilfe.

Schon fertig?

Keine Sorge, „Schon fertig“ gibt es weiterhin ... und eine Fülle an Extramaterial, apropos „Extra“. Diese Zusatzseite für alle, die etwas mehr machen wollen, bleibt, aber jetzt dreht sich alles um ein Wort. Das soll zum Nachdenken, Lesen und Weiterreden anregen ... und natürlich Spaß machen!

Ich bin gespannt ...

Und wir erst! Jedenfalls hoffen wir auf viele Erkenntnisse – beim Deutschlernen und Deutschlehren und wünschen viel Spaß und Erfolg mit *Ja genau!*

Ja genau!

- ein Lehrwerk für Erwachsene ohne Vorkenntnisse
- in sechs Bänden:
  Band 1 und 2 führen zur Niveaustufe A1, Band 3 und 4 zu A2,
  Band 5 und 6 zu B1 des Gemeinsamen europäischen Referenzrahmens
- Das Lehrwerk bereitet auf folgende Prüfungen vor:
  Goethe-Zertifikat A1: Start Deutsch 1; telc Deutsch A1; ÖSD A1
  Goethe-Zertifikat A2: Start Deutsch 2; telc Deutsch A2; ÖSD A2
  Goethe-Zertifikat B1: Zertifikat Deutsch; telc Deutsch B1; Deutsch-Test für Zuwanderer; Österreichisches Sprachdiplom Deutsch B1
- Jeder Band hat sieben Einheiten.
- Jede Einheit besteht aus zehn Seiten:
  zwei Einstiegsseiten, vier Präsentationsseiten, eine Projektseite, eine Extra-Seite mit fakultativem Zusatzmaterial, eine „Ich kann …“-Seite als Zusammenfassung der Lerninhalte und der letzten Seite, auf der ein Fortsetzungskrimi in sieben Teilen erzählt wird.
- Der Übungsteil ist ins Kursbuch integriert. Zu jeder Einheit gibt es fünf Seiten mit Übungen sowie eine Seite, die den Lernwortschatz präsentiert.
- In das Kurs- und Übungsbuch eingelegt ist eine Audio-CD für Lernende (mit allen Hörtexten des Übungsteils).
- Neben dem Kurs- und Übungsbuch gibt es noch: ein Trainingsheft, eine Audio-CD für Lehrende (Kursraum-CD) und die Handreichungen für den Unterricht.

Legende

Die Symbole und ihre Bedeutung

5 Hier gibt es etwas zu hören.
Wo? Zahl = Tracknummer der Kursraum-CD für Lehrende.
Nur die Tracknummern im Übungsbuchteil beziehen sich auf die im Buch eingelegte CD.

Hier arbeiten Sie zu zweit.

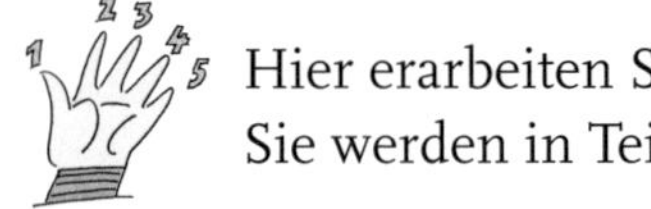

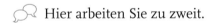

Hier erarbeiten Sie den Krimi – in fünf immer gleichen Schritten.
Sie werden in Teil 1 (vgl. S. 15) erklärt.

7 Hier müssen Sie vor- oder zurückblättern. Wohin? Die Seitenzahl ist angegeben.

Was!? Schon fertig? Hier finden Sie weitere Aufgaben.

Hier werden Sie aufgefordert, das Erlernte in der Welt draußen auszuprobieren. Wenn Sie nicht in D A CH lernen, nutzen Sie das Internet oder probieren Sie die Aufgabe im Kursraum aus.

Hier finden Sie zusätzliche Übungen, wenn Sie etwas vertiefen wollen.

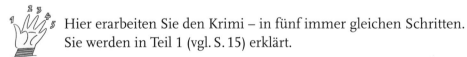

Inhalt

Über das Lernen

Lernerfahrungen

1 Interessantes zum Lernen.

a) Lesen Sie die Texte und ordnen Sie die Bilder zu.

A 

B 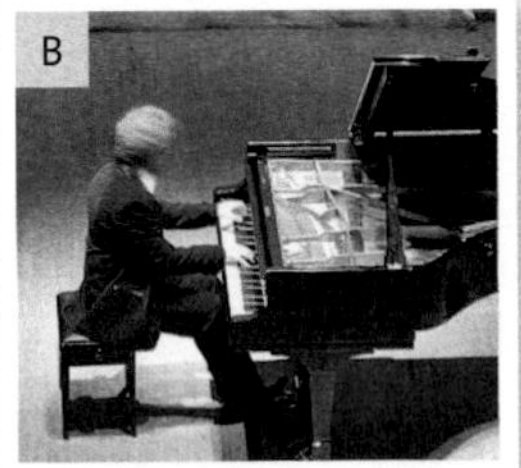

C 

D 

1. **Zum Lernen ist man nie zu alt**
Man sagt, dass Erwachsene oft leichter lernen als Kinder, weil sie schon mehr wissen. Das Ziel muss aber realistisch sein und man sollte immer zur gleichen Zeit üben, denn dann schaltet das Gehirn automatisch auf „Lernen". ☐

2. **Wiederholung ist alles**
In drei Monaten lernt niemand Klavierspielen. Damit man ein Instrument perfekt spielen kann, muss man mindestens 10 000 Stunden üben. ☐

3. **Man kann das Gehirn unterstützen**
Viele glauben, Traubenzucker hilft bei einer Prüfung. Er wirkt aber nur in den ersten 20 Minuten. Viel besser für die Konzentration sind Paprika oder Kaugummi. ☐

4. **Lernen kann man überall, ...**
... aber am besten in hohen hellen Räumen. Man weiß heute, dass man Informationen um 30 Prozent schneller aufnimmt, wenn man in hohen Räumen lernt. ☐

Informationen aus: www.weltderwunder.de

b) Kennen Sie Beispiele? Kommentieren Sie die Texte aus a).

Stimmt, mein Vater hat noch mit 55 Kochen gelernt.

Das glaube ich (nicht), ich kann ...

2 **2 Immer etwas Neues.**

a) Was haben die Personen gelernt? Hören Sie und ordnen Sie die Texte zu.

Spanisch ☐ Tango tanzen ☐ die linke Hand nutzen ☐ Klavierspielen ☐

b) Haben die Personen das gesagt? Hören Sie noch einmal und kreuzen Sie an.

1. Meine Mutter wollte, dass ich jeden Tag übe. ☐
2. Mir hat es geholfen, wenn ich beim Wörterlernen durch den Raum gelaufen bin. ☐
3. Der Anfang war schwer. ☐
4. Wir haben mitgezählt. Das war sehr nützlich. ☐

3 Und Ihre Erfahrungen?

a) Schreiben Sie zwei Listen: Was macht das Lernen leicht, was macht es schwer?

☺	☹

b) Gehen Sie durch den Kursraum und erzählen Sie drei Personen, wie Sie am liebsten lernen.

4 Lerntypen.

a) Was glauben Sie? Wann lernt Typ A, B, C oder D am besten?

A sehen | B hören | C sprechen | D anfassen und bewegen

b) Lesen Sie die Aussagen und ordnen Sie sie den Lerntypen aus a) zu. Manchmal gibt es mehrere Möglichkeiten.

1. Ich verstehe die Nachrichten im Fernsehen besser als die im Radio. ______
2. Ich lerne nicht gern allein. ______
3. Ich spreche mit Händen und Füßen. ______
4. Ich muss immer mit anderen über die neuen Wörter und Grammatikregeln sprechen. ______
5. Wenn ich mich beim Lernen bewege, lerne ich leichter. ______
6. Ich kann mich nicht konzentrieren, wenn das Radio läuft oder andere sich neben mir unterhalten. ______
7. Ich muss immer alles mitschreiben. ______
8. Neue Wörter lerne ich am besten, wenn ich sie laut sage. ______
9. Ich mag Frage-Antwort-Übungen und Rollenspiele. ______
10. Wenn ich einen Vortrag höre, verstehe ich mehr, wenn es auch Zeichnungen und Tabellen gibt. ______

c) Und Sie? Was ist typisch für Sie? Markieren Sie in b) und erzählen Sie im Kurs.

Ich brauche immer Bilder, wenn ich etwas lerne.

Ja? Ich nicht, ich muss immer im Raum herumlaufen.

Und wie ist es bei dir?

3 **5 Was klappt am besten? Ein Test.**

a) Hören Sie und machen Sie mit.

zu 2: sich merken, schwierig, Wörterbuch, Hausaufgabe
zu 3: mitschreiben, richtig, Fehler, Diskussion
zu 4: wiederholen, Satz, Prüfung, Reihenfolge

b) Wann können Sie gar nicht lernen? Erzählen Sie.

So viel merkt man sich, wenn man ...

... es nur hört: 20 %.
... es nur sieht: 30 %.
... es sieht und hört: 50 %.
... es sieht, hört und darüber spricht: 70 %.
... es sieht, hört, darüber spricht und es selbst tut: 90 %.

Das Gehirn

6 **Wie funktioniert unser Gehirn?**

a) Lesen Sie die Liste. Sagen Sie die Farbe, NICHT das Wort.

GELB BLAU ORANGE SCHWARZ

ROT GRAU GRÜN

Unsere rechte Gehirnhälfte will die Farbe sagen, aber unsere linke Gehirnhälfte will unbedingt das Wort lesen.

b) Was kann das Gehirn? Machen Sie ein Wörternetz.

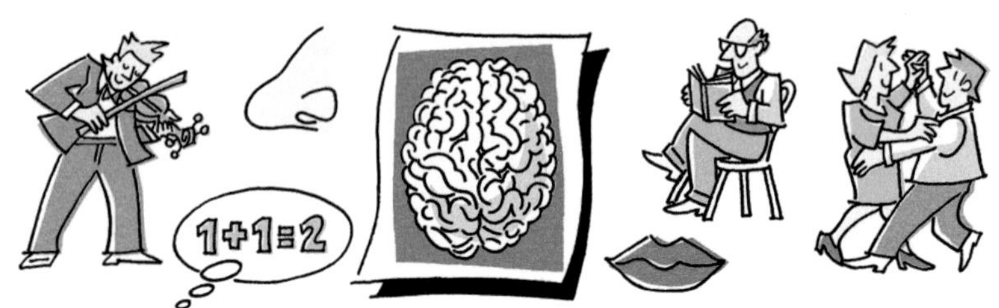

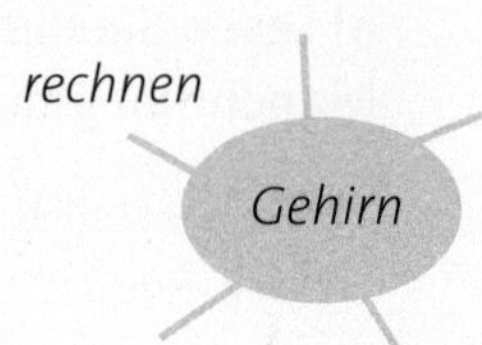

7 **Informationen aus dem Internet.**

a) Lesen Sie den Text und ordnen Sie die Zeichnungen den Abschnitten zu.

Arbeitsweise [Bearbeiten]

Das Gehirn braucht viele **Impulse**. Informationen werden nur dann lange gespeichert, wenn wir sie oft und in unterschiedlicher Form wiederholen. Wenn man immer wieder genau das Gleiche lernt, schaltet das Gehirn ab (bei Männern früher als bei Frauen). ☐

Denn das Gehirn speichert neue Informationen oft nur für kurze Zeit, bekommt es zu viele hintereinander, sortiert es sie wieder aus. So kann es passieren, dass z. B. die neuen Wörter nicht mehr da sind, wenn man direkt nach dem **Lernen** am **Computer** gespielt hat. Deshalb ist **Schlaf** so wichtig. In dieser Zeit gibt es keine neuen Impulse und das Gehirn kann die alten Informationen ordnen und speichern. ☐

Versorgung [Bearbeiten]

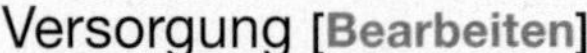

Das Gehirn wiegt nur sehr wenig, verbraucht aber 20 Prozent aller **Kalorien** und jeden Tag fließen 1000 Liter **Blut** durch das Gehirn. ☐

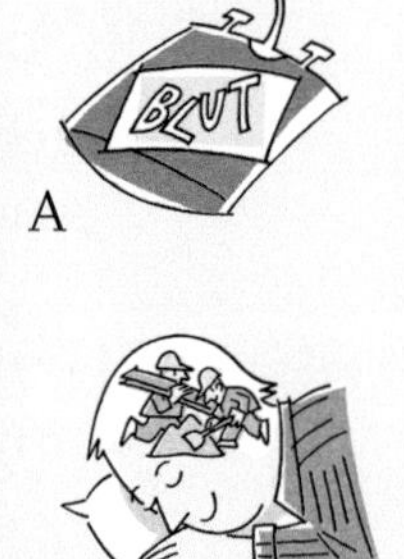

A

B

C

b) Welche Aussage passt zu welcher Überschrift? Ordnen Sie zu.

1. Das Gehirn braucht viel Energie.
2. Man sollte beim Lernen immer wieder neue Methoden ausprobieren.

c) Vergleichen Sie Ihre Erfahrungen mit den Sätzen aus b). Kommentieren Sie.

Wenn ich müde bin ...

Wenn ich die neuen Wörter immer in der gleichen Reihenfolge lerne, dann ...

4

8 **Man könnte es doch auch mal anders machen.**

a) Welches Problem hat Ramón? Hören Sie den Dialog und antworten Sie.

**b) Welche Tipps hat Maria für Ramón?
Lesen Sie und probieren Sie sie selbst.**

◖ Hi Maria, du hast doch mal in einem Altersheim gearbeitet. Stimmt das?
▮ Ja, habe ich. Warum fragst du? Würdest du auch gern dort arbeiten?
◖ Nein, aber ich habe das Gefühl, dass meine Oma sich nichts mehr merken kann. Ich würde ihr gern helfen. Hättest du ein paar Tipps für mich?
▮ Die Forscher sagen, dass Tanzen hilft. Du wärst sicher ein guter Tänzer!
◖ Oh, bitte nicht. Das ist nichts für mich und so fit ist sie auch nicht mehr. Ich wüsste gern, ob es nicht etwas ganz Einfaches gibt, etwas, das sie jeden Tag machen kann.
▮ Hm, sie sollte jeden Tag eine Sache anders machen als sonst. Sie könnte sich z. B. die Zähne mal mit der anderen Hand putzen, die Zeitung auf dem Kopf lesen, durch die Wohnung mit geschlossenen Augen gehen, die Finger einzeln bewegen, von ...
◖ Stopp, das kann ich mir unmöglich alles merken!
▮ Dann solltest du auch mit dem Gehirntraining beginnen.

Wissen Sie es noch?
Mit Du solltest ... *kann man Ratschläge geben.*

9 Was kann der Konjunktiv II?
a) Ordnen Sie die Beispiele aus dem Dialog der Regel zu.

1. Ich würde ihr gern helfen.
2. Du wärst ein guter Tänzer!
3. Hättest du ein paar Tipps für mich?
4. Sie könnte z. B. die Zähne mal mit der anderen Hand putzen.
5. Dann solltest du auch mit dem Gehirntraining beginnen.

Regel: Mit dem Konjunktiv II kann man ...

☐ Wünsche äußern. ☐ Ratschläge geben / ☐ Vorschläge machen.
☐ Dinge, die (noch) nicht wahr sind, beschreiben. ☐ höfliche Bitten äußern.

b) Unterstreichen Sie im Text von Aufgabe 8 alle Verben, die einen Umlaut haben, und ergänzen Sie die Tabelle.

	werden	haben	sein	wissen
ich	______	hätte	wäre	______
du	würdest	______	______	wüsstest
er/sie/es	würde	hätte	wäre	______
wir	würden	hätten	wären	______
ihr	würdet	hättet	wärt	wüsstet
sie/Sie	______	hätten	wären	wüssten

Konjunktiv II
Die meisten Verben bilden den Konjunktiv mit **würde** *+ Infinitiv:*
Ich **würde** *dir gern helfen, aber ...*

Modalverben:
Sie kennen das Präteritum.
Der Konjunktiv II ist fast gleich, nur die Vokale bleiben wie im Infinitiv:
Er musste ihr gestern helfen.
Er **müsste** *ihr helfen, aber ...*
Konntest du ihr bitte helfen?
Ich **könnte** *ihr helfen, wenn ...*
Wir sollten alle helfen.

10 Lustige Wünsche. Schreiben Sie Kärtchen wie im Beispiel. Gehen Sie durch den Raum und beenden Sie Ihren Satz mit der Karte von Ihrem/Ihrer Partner/in.

Wenn ich Millionär wäre...
würde ich ein Schloss kaufen.

Sprachen leichter lernen

11 Vorschläge machen.

a) Wir alle machen oft Sachen, die nicht gut für unser Gehirn sind. Was machen Sie? Schreiben Sie Sätze auf Kärtchen.

immer das Gleiche tun • nach dem Lernen fernsehen • keine Pausen machen • zu wenig schlafen • keinen Sport treiben • zu viel rauchen / Kaffee/Alkohol trinken ...

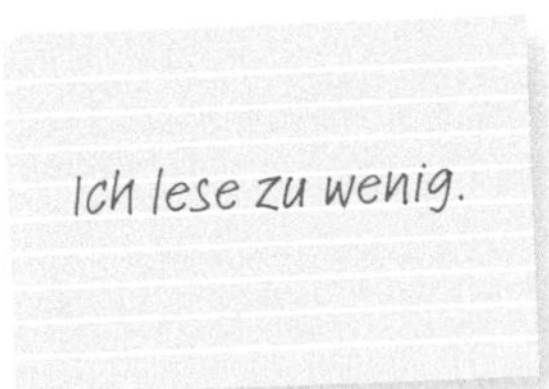

Ich gehe nicht oft raus.

b) Arbeiten Sie zu zweit. Eine/r liest das Kärtchen, der/die andere macht Vorschläge.

Ich lese zu wenig.

Du könntest doch mal den neuen Roman von ... lesen.

12 Der Ton macht die Musik.

a) Formulieren Sie es höflicher. Schreiben Sie.

1. Machen Sie die Tür zu!
2. Geben Sie mir drei Brötchen und eine Brezel!
3. Sagen Sie mir, wo die Dorfstraße ist!
4. Ich will Herrn Santer sprechen!

b) Eine/r sagt eine Bitte, der/die andere tut es.

Könntest du bitte mal die Tür zumachen?

mir das Buch geben • die Tafel putzen • deinen Stift leihen • den Text vorlesen ...

5 **13** Umlaute.

a) Was hören Sie? Kreuzen Sie an.

1.	2.	3.	4.	5.
☐ könnten	☐ waren	☐ hatten	☐ dürften	☐ mussten
☐ konnten	☐ wären	☐ hätten	☐ durften	☐ müssten

b) Unterstreichen Sie in Aufgabe 8 alle Wörter mit *ä, ü, ö* und schreiben Sie sie auf Zettel. Jede/r zieht einen Zettel und klebt ihn sich an die Brust. Üben Sie Ihr Wort. Jetzt sind Sie Experte/Expertin.

c) Gehen Sie im Raum herum. Bei „Stopp" bilden Sie Paare. Der/Die Experte/Expertin spricht das Wort vor, der/die andere nach.

14 Lernstrategien. Bilden Sie vier Gruppen: gelb, blau, grün und rot. Jede Gruppe löst die Aufgaben a–c zu ihrem Text (Seite 11).

a) Lesen Sie Ihren Tipp und ordnen Sie das passende Bild zu.

b) Was sollen Sie tun? Sammeln Sie Stichpunkte.

c) Was machen Sie selbst beim Lernen? Ergänzen Sie die Liste aus b).

Wörter lernen
Wichtig ist, dass Sie neue Wörter nicht einfach auswendig lernen. Schreiben Sie Sätze; finden Sie ähnliche Wörter (*schön – Schönheit*), Gegensätze (*groß – klein*) oder suchen Sie Oberbegriffe (*Zeit: Minute, Stunde, ...*). Vielleicht helfen Ihnen auch Wörternetze oder Zeichnungen. Oder Sie sprechen die Wörter laut und laufen dabei herum. Denn Bewegung fördert das Lernen! ☐

A

Wörter wiederholen
Bei schweren Wörtern könnten Sie sich auch überlegen, wie das Wort in Ihrer Muttersprache klingt und was Ihnen zu dem Wort einfällt. Dann denken sich zu dem Wort ein Bild oder eine Geschichte aus. Wenn diese sehr komisch ist, merkt man sie sich besser.
Führen Sie eine Statistik für Wörter, die Sie immer wieder falsch schreiben oder die Sie sich einfach nicht merken können. ☐

Montag	*20:00–20:30 Uhr Deutsch (neue Wörter)*
Dienstag	*19:30–21:00 Uhr Deutschkurs 20:15 Uhr Pause*
Mittwoch	*21:00–21:45 Uhr Deutsch (Hausaufgabe: neue Grammatik*

B

Das Lernen organisieren
Machen Sie sich einen konkreten Lernplan mit festen Pausenzeiten. Es ist viel besser, wenn Sie jeden Tag zehn Minuten lernen als lange Zeit gar nicht und dann ganz viel auf einmal. Es gibt eine goldene Regel, die sagt: Sieben Wörter zusammen lernen und dann eine Pause machen. Notieren Sie sich, wie oft Sie ein Wort schon wiederholt haben. Sie müssen jedes Wort circa 30 Mal ganz unterschiedlich wiederholen, damit Sie es nicht mehr vergessen. ☐

C

Gefühle und Motivation
Es hilft sehr, wenn man weiß, warum man die Sprache lernt. Was sind Ihre Ziele? Schreiben Sie sie auf. Keine Lust zum Lernen? Täuschen Sie Ihr Gehirn: Sagen Sie sich, dass Sie heute nur zehn Minuten lernen und freuen Sie sich schon vorher auf das Stück Schokolade, das Sie danach essen wollen. Das wirkt Wunder, weil das Gehirn dann nicht die anstrengende Arbeit „Deutsch lernen" sieht. Es könnte auch sein, dass Sie dann sogar 20 Minuten am Schreibtisch sitzen. Es ist auch gut, wenn man sein Heft hübsch macht – es also z. B. mit Fotos von der Familie oder Freunden beklebt. ☐

D

15 **Sie sind Experte für Ihren Text. Mischen Sie die Gruppen neu. In jeder Gruppe müssen alle Farben sein. Lösen Sie die Aufgaben a–c.**

a) Schreiben oder zeichnen Sie ein Beispiel zu Ihrem Tipp.

b) Was soll man tun? Präsentieren Sie die Tipps aus Ihrem Text.

c) Machen Sie ein Kursplakat mit den schönsten Lerntipps.

16 **Sprachen lernen mit allen Sinnen. Schauen Sie sich die Plakate aus Aufgabe 15 c) noch einmal an. Was könnten Sie beim Sprachenlernen jetzt besser machen?**

Ich könnte öfter mal die Wörter in Bewegung lernen.

Ja genau! Und ich könnte ...

Alle zusammen

17 Schon müde?

a) Probieren Sie es mal mit einer Energieübung: Stellen Sie sich im Kreis auf. Eine/r spricht den Text und macht die Bewegungen dazu. Die anderen machen gleichzeitig mit.

Hallo, ich bin der Hannes
Ich arbeite in einer Knopffabrik.

Eines Tages kommt mein Chef und fragt: „Hannes? Hättest du kurz Zeit für mich?“ Ich sag: „Jo!“
Er sagt: „Dann dreh’ diesen Knopf mit der rechten Hand.“

...
„Dann dreh’ diesen Knopf mit dem linken Knie.
Dann dreh’ diesen Knopf mit der linken Hand.

...
Dann dreh’ diesen Knopf mit dem rechten Knie.
Dann dreh’ diesen Knopf mit dem Kopf.“

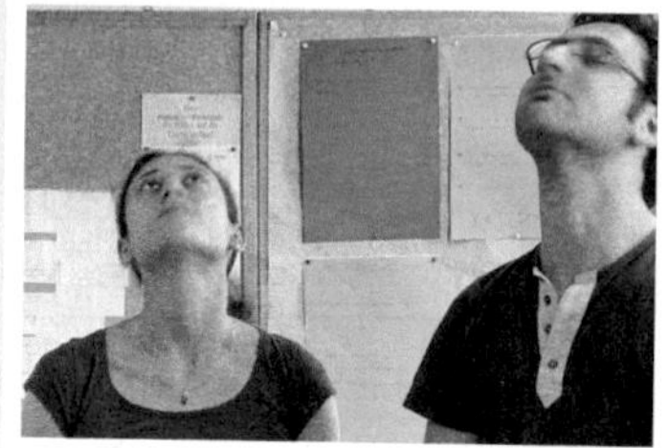

Hallo, ich bin der Hannes.
Ich arbeite in einer Knopffabrik.
Eines Tages kommt mein Chef und fragt: „Hannes?
Hättest du kurz Zeit für mich?“
Ich sag: „Nööööööööö!“

b) Wieder fit? Probieren Sie es aus und konjugieren Sie ganz schnell den Konjunktiv II von *haben* und *sein*.

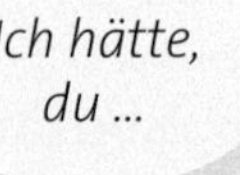

18 Ohne Motivation geht nichts.

a) Wie motivieren Sie sich zum Deutschlernen? Arbeiten Sie zu dritt und notieren Sie Ihre persönlichen Tricks.

b) Machen Sie eine Hitliste für den Kursraum.

19 Ein Lerntagebuch schreiben. Vorn im Umschlag finden Sie Leitfragen für ein Lerntagebuch. Lesen Sie sie. Könnte das Tagebuch Ihnen beim Lernen helfen, und wenn ja, wie? Diskutieren Sie im Kurs.

Sprache

Weltsprache
Geheimsprache
Zweitsprache
Umgangssprache
Zeichensprache
Körpersprache
Fremdsprache
Kindersprache
Amtssprache
Muttersprache

„Die deutsche Sprache ...

... ist eine merkwürdige Sprache. Wenn es ernst wird, sagen die Leute:
„Das kann ja heiter werden."
Zitat von Unbekannt

Es gibt 6000 bis 7000 Sprachen weltweit.

Etwa die Hälfte aller Menschen sprechen eine von diesen 10 meistgesprochenen Sprachen!

Hablo español.
我会说中文。
I speak English.

Top 10	(in Mio)
1. Mandarin, Chinesisch	726
2. Englisch	427
3. Spanisch	266
4. Hindi	182
5. Arabisch	181
6. Portugiesisch	165
7. Bengali	162
8. Russisch	158
9. Japanisch	124
10. Deutsch	121

Falo português.
Ich spreche Deutsch.
Я говорю по-русски

Deutsch

Deutsch ist eine von den 10 meistgesprochenen Sprachen: In Europa sprechen 90 Millionen Menschen Deutsch, weltweit sind es etwa 120 Millionen.
Deutsch ist die einzige Sprache, die etwa seit dem 17. Jahrhundert Substantive mit einem großen Anfangsbuchstaben schreibt. Das gab es früher auch in anderen Sprachen. Wenn man die Substantive groß schreibt, kann man sie im Satz schneller wiederfinden und so kann man auch schneller lesen.

Ich kann ...

über meine Lernerfahrungen sprechen

Ich mag kein ... / Meine Lehrerin war sehr streng. Ich habe Angst vor Fehlern.
Ich hätte nie gedacht, dass das so schwer sein könnte. / Es war gar nicht so schwer.
Ich hatte keine Lust mehr. / Aber das hat mich motiviert.
Ich muss die Wörter laut lesen. / Mir hat es geholfen, wenn ich beim Wörterlernen durch den Raum gelaufen bin. / Das war sehr nützlich.

Tipps zum Lernen geben

Warum lernst du so viele Wörter auswendig? Ich würde lieber jeden Tag sieben Wörter lernen. / Du könntest dir Geschichten zu den Wörtern ausdenken. / Ich würde einen Lernplan machen. / Motivation ist wichtig: Wenn wir fertig sind, gehen wir ins Kino!

höflich sein

Würdest du bitte die Tür zumachen? / Könntest du mir deinen Stift leihen? /
Hättest du mal kurz Zeit für mich? / Wäre es möglich, dass Sie mir bei der E-Mail helfen?

Ich kenne ...

den Konjunktiv II

Wünsche und Unwirkliches äußern: Ich wäre so gern Millionär. / Was würdest du machen, wenn dein Kühlschrank brennen würde? / Ich wüsste gern, wie der Konjunktiv funktioniert.
Ratschläge geben / Vorschläge machen: Du könntest doch mal eine neue Sprache lernen.
höfliche Bitten äußern: Hätten Sie einen Moment Zeit für mich, bitte?

	werden	**haben**	**sein**	**wissen**
ich	würde	hätte	wäre	wüsste
du	würdest	hättest	wärst	wüsstest
er/sie/es	würde	hätte	wäre	wüsste
wir	würden	hätten	wären	wüssten
ihr	würdet	hättet	wärt	wüsstet
sie/Sie	würden	hätten	wären	wüssten

Die meisten Verben bilden den Konjunktiv mit würde + Infinitiv: Ich würde gern ans Meer fahren. / öfter ausgehen. / mehr lernen, aber ich habe keine Zeit.

die Umlaute *ä, ö, ü* (Wiederholung)

hatten – hätten   konnten – könnten   mussten – müssten

Und zum Schluss: Füllen Sie die Checkliste aus. Legen Sie den Zettel dann in eine Kiste. Ziehen Sie nacheinander je einen Zettel und beantworten Sie den letzten Punkt im Kurs.

Das habe ich gelernt:
Das hat mir besonders gut gefallen:
Das kann ich jetzt:
Hier habe ich noch eine Frage:

Teil 1

6

Kommissar Müller sitzt wie jeden Morgen an seinem Schreibtisch und trinkt einen Milchkaffee, als sein Handy klingelt. „Müller. – Ach, du bist es, Uwe. – Ja, mmmh, ja, wo denn? – In der Bettinastraße, aha, Hausnummer? – 12. Gut, ich mach' mich auf den Weg. Bis gleich."

Thomas Müller trinkt seinen Milchkaffee aus, zieht sich seine Jacke an und verlässt sein Büro. Es ist ein sonniger und warmer Frühlingsmorgen. Noch etwas müde steigt er in sein Auto, das vor dem Frankfurter Polizeipräsidium steht, und fährt los. Nur sehr langsam kommt er durch den Berufsverkehr. Er fährt an der Goethe-Universität und der alten Oper vorbei, aber an der Taunusanlage geht nichts mehr. Es ist Montagmorgen und die Stadt füllt sich langsam wieder mit Pendlern. Als er nach 20 Minuten endlich in der Bettinastraße ankommt, stehen vor dem Haus mit der Nummer 12 schon sein Kollege Uwe Peikert und viele Nachbarn. Alle sind sehr aufgeregt. Thomas Müller geht zu seinem Kollegen:

„Morgen, Uwe." – „Grüß dich, Thomas." – „Und?" – „Eine Nachbarin hat ihn im Hausflur gefunden, als sie heute Morgen zur Arbeit gehen wollte." – „Weiß man schon, wer der Tote ist?" fragt der Kommissar interessiert, „Ja, Stefan Hildmann. Er wohnt, oder besser wohnte, hier allein im 2. Stock in einer Zweizimmerwohnung." – „Und wo ist er jetzt?" – „Noch am Tatort[1] im Flur. Ich habe schon die Gerichtsmedizin[2] und die Spurensicherung[3] angerufen. Sie sind bestimmt jeden Augenblick hier, wenn sie nicht – wie du – im Stau stehen."

Kommissar Müller geht ohne Worte an den Nachbarn vorbei in den Hausflur. Dort liegt links in der Ecke neben der Treppe auf dem Boden ein ungefähr 30 Jahre alter Mann auf dem Rücken. Auf seinem Oberkörper ist Blut. Wahrscheinlich ein Stich direkt ins Herz. Das würde der Gerichtsmediziner später genauer untersuchen, genauso wie die Frage, wann genau der Mann gestorben ist. Der Tote hat braune Haare, eine sportliche Figur und trägt

eine blaue Jeans, ein weißes T-Shirt, eine rote Sportjacke und Turnschuhe. Thomas Müller geht wieder vor die Tür und eine junge Frau spricht ihn an.

„Sind Sie der Kommissar, der sich um den Mordfall[4] kümmert?" fragt sie sehr nervös. „ Ja, der bin ich und wer sind Sie?"

„Jutta Schäfer ist mein Name, ich habe ein paar wichtige Informationen für Sie. Könnte ich Sie einen Augenblick alleine sprechen? Ich muss gleich weg."

„Ja sofort, einen Moment noch, ich muss nur noch kurz meinem Kollegen etwas sagen." Er wechselt schnell ein paar Worte mit Uwe Peikert und will dann wieder mit der jungen Frau reden – aber sie ist schon weg! So ein Mist, was wollte Jutta Schäfer ihm wohl sagen?

1 der Tatort: Hier ist es passiert.
2 die Gerichtsmedizin: Ärzte/Ärztinnen, die untersuchen, wie jemand gestorben ist
3 die Spurensicherung: Techniker/innen, die einen Tatort untersuchen
4 der Mordfall: Man hat jemanden getötet.

1. ~~Was bisher geschah. Fassen Sie zusammen und erzählen Sie.~~ (ab Kapitel 2)
2. Was ist hier passiert? Machen Sie Stichpunke (Was? Wer? Wann? Wo?).
3. Die Figuren: Stefan Hildmann. Was wissen Sie von ihm? 126 *
   (Name, Alter, Aussehen ...)
4. Telefonat: Zeile 3–5. Arbeiten sie zu zweit. Was hat Uwe Peikert gesagt? Setzen Sie sich Rücken an Rücken und führen Sie das Telefonat im Kurs.
5. Frage-Antwort-Bälle. Geben Sie einen Ball (für eine Frage) nach links, den anderen (für die Antwort) nach rechts weiter. Wenn Sie „Stopp" hören, fragen und antworten die, die gerade die Bälle haben. Machen Sie dann weiter.

* Benutzen Sie die Figurenskizze auf Seite 126.

Märchenwelten

Wie im Märchen!

1 **Wie im Märchen! Was fällt Ihnen dazu ein? Sammeln Sie im Kurs.**

7 **2** **Lesen Sie zuerst die Aussagen. Dann hören Sie zu. Welche Aussagen passen?**

- ☐ a) Märchen sind für Kinder nicht gut.
- ☐ b) Märchen können auch Angst machen.
- ☐ c) Märchen sind unmodern.
- ☐ d) Märchen gibt es auf der ganzen Welt.

3 **Interview. Beantworten Sie die Fragen. Erzählen Sie dann, was Ihr/e Partner/in gesagt hat.**

1. Wie oft hat man Ihnen als Kind Märchen vorgelesen?
2. Lesen Sie auch heute noch Märchen? Warum (nicht)?
3. Welchen Kindern erzählen Sie Märchen?
4. Welche Märchenfilme haben Sie schon gesehen?

Cecilia mag Märchen. Sie hat ...

4 **Märchenwörter. Ordnen Sie die Wörter zu.**

der Brunnen • die Fee • der Frosch • die Hecke • die Hexe • der König • die Kugel • die Prinzessin • der Prinz • ~~sich verwandeln~~ ...

1. *sich verwandeln*

2. ______

3. ______

4. ______

5. ______

6. ______

7. ______

8. ______

9. ______

10. ______

5 Das Märchen „Der Froschkönig".

a) Lesen Sie den Text. Finden Sie die Wörter aus Aufgabe 4 und markieren Sie sie. Zwei fehlen. Welche?

Es war einmal ein König, der ein wunderschönes Töchterlein hatte. Vor seinem Schloss gab es einen Brunnen. Die Prinzessin spielte dort oft mit ihrer goldenen Kugel. Eines Tages fiel die Kugel in den Brunnen. Da weinte die Königstochter ganz schrecklich. Plötzlich hörte sie eine Stimme. „Weine nicht, ich will dir helfen." Ein dicker, hässlicher Frosch saß auf dem Brunnen. Er sagte: „Ich hole deine Kugel aus dem Brunnen, aber dann will ich dein Spielkamerad sein. Ich will immer an deinem Tisch sitzen, von deinem Tellerchen essen und in deinem Bettchen schlafen." Die Prinzessin versprach ihm alles. Der Frosch holte ihre goldene Kugel aus dem Brunnen. Aber nachdem die Königstochter ihre Kugel zurückbekommen hatte, lief sie weg und dachte nicht mehr an ihre Worte.

Am nächsten Tag – die Königstochter saß gerade beim Essen – kam der Frosch – plitsch, platsch, plitsch, platsch – die Treppe hoch, klopfte an die Schlosstür und rief laut: „Schönes Kind, mach mir auf!" Aber die Königstochter wollte ihm nicht öffnen. „Warum öffnest du ihm nicht?" fragte ihr Vater erstaunt. Da erzählte ihm die Prinzessin von ihrem Versprechen und der König sprach: „Was man verspricht, muss man halten. Geh und öffne dem Frosch!" Die Prinzessin öffnete die Tür, der Frosch sprang herein und aß zusammen mit ihr von ihrem goldenen Tellerlein. Nach dem Essen wurde der Frosch müde und sagte: „Bring mich in dein weiches Bettchen, ich möchte schlafen." Die Prinzessin weinte, sie mochte das nasse Tierchen nicht. Der König aber sagte: „Bring den Frosch in dein Bett! Er hat dir geholfen, jetzt musst du dein Wort auch halten."

Da nahm die Prinzessin den Frosch mit zwei Fingern und brachte ihn in ihr Schlafzimmer. Dort setzte sie ihn in eine Ecke. Aber der Frosch wurde böse, er wollte in ihrem feinen Bettchen liegen. Als er in ihr Bett springen wollte, warf die Prinzessin den Frosch wütend an die Wand. Er fiel auf den Boden und verwandelte sich. Vor ihr stand plötzlich ein wunderschöner Königssohn und sagte: „Eine böse Hexe hat mich vor langer Zeit in einen Frosch verwandelt, aber du hast mich endlich gerettet." Die Prinzessin verliebte sich in den schönen Prinzen und schon bald heirateten sie und lebten glücklich auf ihrem Schlösschen. Und wenn sie nicht gestorben sind, dann leben sie noch heute.

b) Lesen Sie den Text noch einmal und bringen Sie die Überschriften in die richtige Reihenfolge.

a) _____ Hochzeit von Prinz und Prinzessin
b) _____ Frosch rettet Kugel
c) _____ Frosch im Schloss
d) _____ Gefährliches Spiel mit der Kugel am Brunnen
e) _____ Frosch verwandelt sich

6 Theater spielen. Verteilen Sie die Rollen. Dann liest eine/r das Märchen vor und die Darsteller machen die Pantomime dazu.

Rollen: eine Prinzessin, ein Frosch, ein König, ein Prinz, eine Hexe
Requisiten: Ball, Krone, Teller ...

Es war einmal ...

7 Das Präteritum.

a) Einige Verben im Präteritum kennen Sie schon. Finden Sie sie im Text auf Seite 17 und markieren Sie sie.

b) Markieren Sie jetzt auch alle neuen Verben im Präteritum.

c) Arbeiten Sie zu zweit. Eine/r sucht die regelmäßigen Formen. Eine/r sucht die unregelmäßigen Formen. Tragen Sie die Verben in eine Tabelle ein.

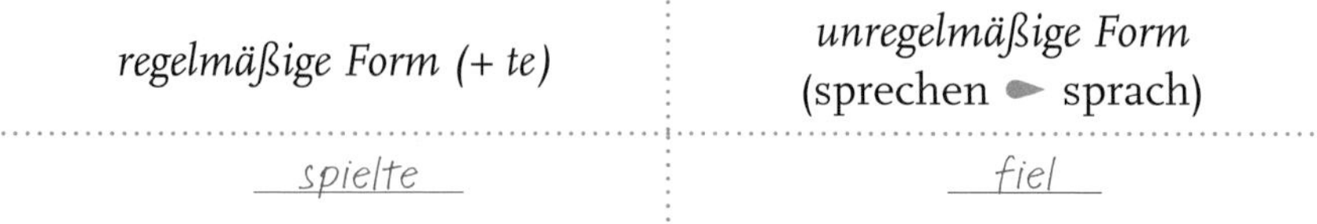

regelmäßige Form (+ te)	*unregelmäßige Form* (sprechen ➨ sprach)
spielte	fiel

d) Bilden Sie Gruppen. Finden Sie die Infinitive zu den Verben aus c). Schreiben Sie Lernkarten wie im Beispiel.

spielen – spielte – hat gespielt

8 Ja genau, und dann ... Erzählen Sie das Märchen noch einmal. Die Stichwörter helfen Ihnen.

goldene Kugel fällt in den Brunnen • Frosch holt sie aus dem Brunnen • Prinzessin will den Frosch vergessen • Frosch kommt ins Schloss • isst von ihrem Teller • will in ihrem Bettchen schlafen • Prinzessin wirft den Frosch an die Wand • Frosch verwandelt sich in einen Prinzen • sie heiraten und werden glücklich

Die Königstochter ging zum Brunnen

Ja genau, und dann fiel die goldene Kugel in den Brunnen.

Ja genau, und dann ...

9 Präteritumpflücken: Dornröschen.

a) Notieren Sie die Verben einzeln auf Karten und legen Sie sie auf einen Stuhl.

war • kam herein • wuchs • kam • schnitt • feierten • wachte auf

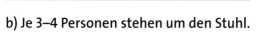

8 b) Je 3–4 Personen stehen um den Stuhl.
Hören Sie das Lied. Wenn Sie ein passendes Verb hören, nehmen Sie die Karte. Wer ist am schnellsten?

8 c) Hören Sie das Lied noch einmal und singen Sie alle mit.

Das Präteritum
Endungen (regelmäßige Verben)

ich	➨ lebte
du	➨ lebtest
er/sie/es	➨ lebte
wir	➨ lebten
ihr	➨ lebtet
sie/Sie	➨ lebten

Endungen (unregelmäßige Verben)

ich	➨ fiel
du	➨ fielst
er/sie/es	➨ fiel
wir	➨ fielen
ihr	➨ fielt
sie/Sie	➨ fielen

Mischform (mit Vokalwechsel)

denken ➨ dachte
mögen ➨ mochte
bringen ➨ brachte

Das Verb **werden***:*
Er wurde müde.

Vorher und nachher

10 Nebensätze mit *nachdem*.

a) Sehen Sie sich die Bilder an und lesen Sie die Sätze. Was war vorher und was passierte danach?

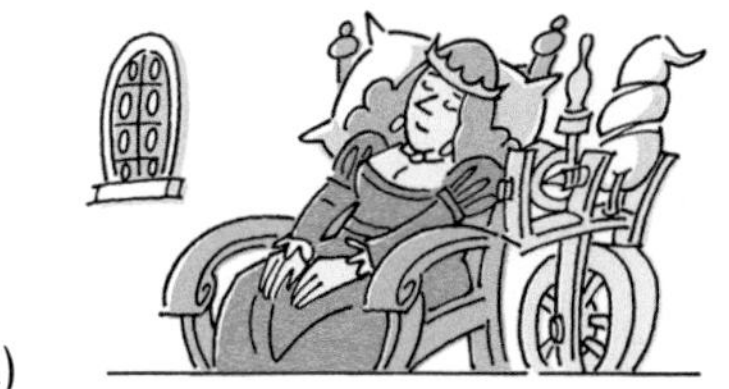

a) ____________

b) ____________

Nachdem Dornröschen 100 Jahre geschlafen hatte, kam der Prinz und heiratete es.

b) Zwei Märchen. Verbinden Sie und lesen Sie die Sätze laut.

1. Nachdem der Frosch ins Bett gekommen war,
2. Nachdem der Prinz Dornröschen geküsst hatte,
3. Nachdem die Prinzessin die Kugel zurückhatte,
4. Nachdem Dornröschen eingeschlafen war,

a) lief sie weg.
b) wuchs eine große Hecke um das Schloss.
c) warf die Prinzessin ihn an die Wand.
d) wachte es wieder auf.

c) Das Plusquamperfekt. Ergänzen Sie die Regel.

Partizip II • Präteritum • Vergangenheit • vorher

Regel: Wenn Sie in der ____________ sagen möchten, dass etwas ____________ passiert ist, dann benutzen Sie das Plusquamperfekt. Sie bilden es mit *haben* oder *sein* im ____________ und dem ____________.

Der Hauptsatz steht im Präteritum oder im Perfekt:
Nachdem wir angekommen waren, haben wir zuerst einen Kaffee gekocht.

11 Am Morgen. Schreiben Sie Sätze mit *nachdem*.

1. Nachdem der Wecker dreimal geklingelt hatte, bin ich aufgestanden.

vorher	**nachher**
1. der Wecker dreimal klingeln	aufstehen
2. das Radio anmachen	frühstücken
3. sich duschen	sich anziehen
4. aus dem Haus gehen	im Stau stehen
5. eine Stunde im Stau stehen	zu spät zur Arbeit kommen

Schon fertig?
Am Nachmittag. Schreiben Sie die Geschichte aus Aufgabe 11 weiter.

Feierabend machen • nach Hause fahren • einkaufen • Essen kochen • Bad putzen • Freunde treffen • ...

Stars und Sternchen

12 Moderne Märchen im Kino. Kennen Sie diese Filme? Verbinden Sie.

Fantasy-Film Zeichentrickfilm Liebesfilm Komödie Action-Film

9 **13** Eine Radioreportage: „Märchenhafte und fantastische Filmwelten im Rex-Kino."

a) Bilden Sie vier Gruppen (rot, blau, grün, gelb). Bearbeiten Sie nur die Aufgabe in Ihrer Farbe.

Wie heißen die Filme aus dem Interview? Kreuzen Sie die richtige Ergänzung an.

1. Tinten	a) ☐ blut	b) ☐ herz	c) ☐ tod
2. Küss	a) ☐ die Braut	b) ☐ den Prinzen	c) ☐ den Frosch
3. Slumdog	a) ☐ ein armer Hund	b) ☐ ein reicher Mann	c) ☐ Millionaire

Wann können Sie sich im Rex-Kino einen Zeichentrickfilm ansehen?

a) ☐ nur am Wochenende um 11:00 Uhr b) ☐ täglich um 18:00 Uhr
c) ☐ jeden Tag um 15:30 Uhr und am Wochenende auch um 11:00 Uhr

Wie viele Oscars hat ein Film aus dem Rex-Kinoprogramm gewonnen? Und in welchem Jahr? Kreuzen Sie an.

a) ☐ Der Film hat im Jahr 2008 insgesamt 5 Oscars bekommen.
b) ☐ Der Film hat im Jahr 2009 insgesamt 9 Oscars bekommen.
c) ☐ Der Film hat im Jahr 2010 insgesamt 3 Oscars bekommen.

In dem Interview hören Sie etwas über drei Filme. Was für Filme sind das? Kreuzen Sie an.

1. Der erste Film ist ein	2. Der zweite Film ist ein	3. Der dritte Film ist ein
a) ☐ Zeichentrickfilm.	a) ☐ Actionfilm.	a) ☐ Zeichentrickfilm.
b) ☐ Liebesfilm.	b) ☐ Zeichentrickfilm.	b) ☐ Fantasyfilm.
c) ☐ Fantasy- und Action-Film.	c) ☐ Fantasy-Film.	c) ☐ modernes Märchen.

b) Bilden Sie nach dem ersten Hören neue Gruppen. In jeder Gruppe müssen alle Farben sein. Hören Sie noch einmal und kontrollieren Sie die Ergebnisse von Ihrer Gruppe.

14 Und Sie? Sprechen Sie über Kino.

Ich gehe oft ins Kino. Am liebsten mag ich ...

Brad Pitt ist mein Lieblingsschauspieler...

Mein Lieblingsfilm ist ...

Es geht um ...

Raus mit der Sprache.
Wählen Sie ein Thema, recherchieren Sie und berichten Sie im Kurs.

A Wer ist Cornelia Funke? (Alter, Wohnort, Beruf, Erfolge)
B Welche Disney-Märchenfilme gibt es noch?
C Wählen Sie aus dem Kinoprogramm in Ihrer Stadt zwei Filme. Erzählen Sie, warum Sie sie sehen möchten.

15 Diminutive finden.

a) Suchen Sie im Text auf Seite 17 Nomen mit der Endung *-chen* oder *-lein*. Schreiben Sie eine Liste.

das Bett

das Bettchen

Töchterlein,

Die Endungen -chen und -lein machen große Sachen klein, der Artikel **das** *muss immer sein.*

b) Finden Sie das „große" Wort, das zu dem kleinen Wörtchen gehört. Unterstreichen Sie die Vokale und ergänzen Sie die Regel.

frisches Brötchen ____________ buntes Blümchen ____________

schiefes Häuschen ____________ heißes Käffchen ____________

Regel: Die Vokale a, o und u werden im Diminutiv zu ______,

______, und ______.

16 Männchen oder Menschen?

10 **a) Hören Sie und kreuzen Sie an: *sch* [ʃ] oder *ch* [ç]?**

	1	2	3	4	5	6	7	8	9	10
ch	☐	☐	☐	☐	☐	☐	☐	☐	☐	☐
sch	☐	☐	☐	☐	☐	☐	☐	☐	☐	☐

11 **b) Hören Sie noch einmal und sprechen Sie nach.**

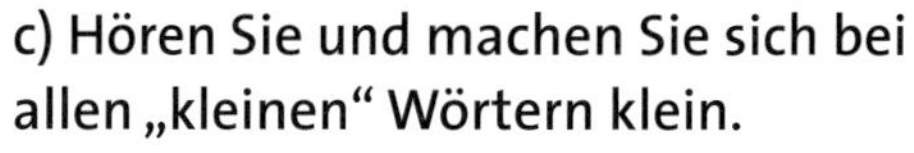

12 **c) Hören Sie und machen Sie sich bei allen „kleinen" Wörtern klein.**

Die Kirche steht im Dorf. – Die Kirsche hängt am Baum.

Dornröschen gibt dem Prinzchen ein Küsschen auf sein Mündchen.

Alle zusammen

17 Märchen würfeln. Arbeiten Sie zu zweit.

a) Jede/r würfelt fünfmal: 2x für die Figuren, 1x für einen Ort und 2x für die Verben. Notieren Sie sich Ihre Elemente. Dann schreiben Sie abwechselnd je einen Satz und wählen dabei aus Ihren Elementen. Nutzen Sie die Satzanfänge.

Es war einmal ...
Der/Die ... Eines Tages ... Dort ... Dann ... Plötzlich ... Schließlich ...
... und wenn sie nicht gestorben sind, dann leben sie noch heute.

	Personen	*Orte*	*Verben*
1	König	die Hecke	sich verwandeln, treffen, sagen
2	Prinz	der Wald	kommen, gehen, sich verlieben
3	Königstochter	der Brunnen	küssen, gehen, sein
4	Frosch	das Schloss	wachsen, kommen, (ein)schlafen
5	Fee	das Schlafzimmer	treffen, sehen, laufen
6	Hexe	? (Joker)	fallen, sich verwandeln, leben

b) Schreiben Sie Ihr Märchen auf ein großes Plakat. Zeichnen oder kleben Sie Bilder dazu.

Es war einmal ein Prinz, der ging in den Wald.
Dort traf er eine Fee und verliebte sich in sie.
Aber die Fee verwandelte ihn in einen Frosch.
Der Frosch lebte im Brunnen. Dann kam eine Königstochter und küsste ihn.
Der Frosch war wieder ein Prinz und wenn sie nicht gestorben sind, dann leben sie noch heute.

c) Präsentieren Sie Ihre Märchen im Kurs. Gehen Sie durch die Ausstellung und wählen Sie das schönste Märchen aus.

18 Stellen Sie ein Märchen aus Ihrer Heimat vor. Arbeiten Sie mit einem Wörterbuch.

Wer? Wo? Was?

Wünsche

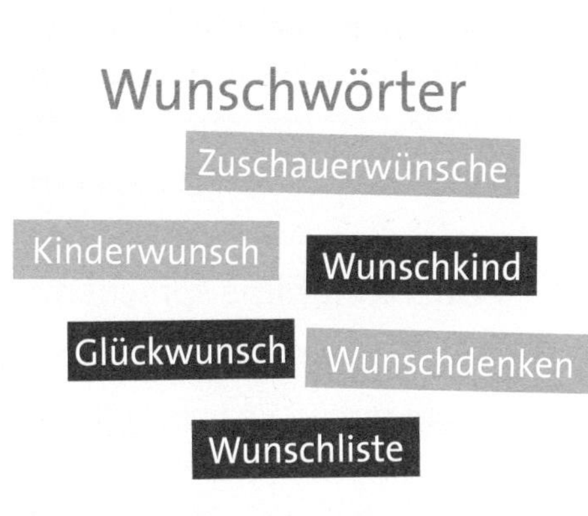

SWISSCOM WUNSCHBRUNNEN

Im Jahr 2009 fand in der Schweiz die Aktion „Jeder Rappen zählt" statt. Die *eventagentur.ch* hat die Spendenaktion zur Bekämpfung der Malaria für die Swisscom organisiert. Der Wunschbrunnen tourte einen Monat lang durch die Schweiz. Für eine Spende bekam man eine Wunschmünze, die man in den Brunnen werfen konnte. Aber man hat die Wünsche auch in ein Wunschbuch geschrieben und am Ende einen Wunsch aus dem Buch in einer Fernsehsendung erfüllt.

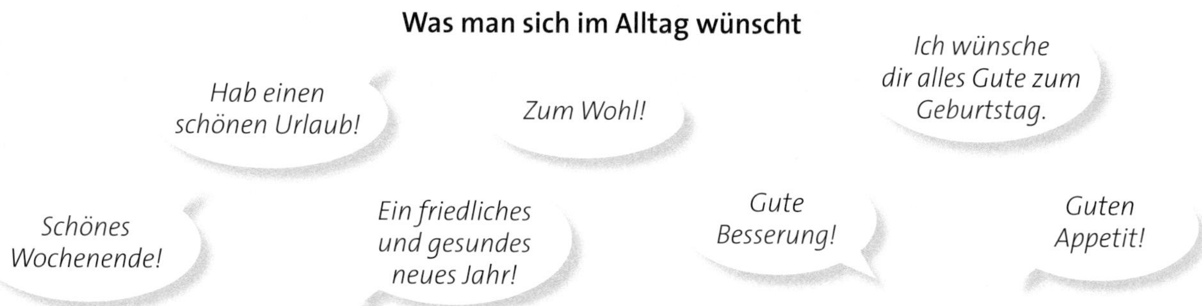

Was man sich im Alltag wünscht
Hab einen schönen Urlaub!
Zum Wohl!
Ich wünsche dir alles Gute zum Geburtstag.
Schönes Wochenende!
Ein friedliches und gesundes neues Jahr!
Gute Besserung!
Guten Appetit!

Gedicht

Ich wünsche dir Zeit ...

Ich wünsche dir nicht alle möglichen Gaben.
Ich wünsche dir nur, was die meisten nicht haben:
Ich wünsche dir Zeit, dich zu freu'n und zu lachen,
und wenn du sie nützt, kannst du etwas draus machen.

Ich wünsche dir Zeit für dein Tun und dein Denken,
nicht nur für dich selbst, sondern auch zum Verschenken.
Ich wünsche dir Zeit – nicht zum Hasten und Rennen,
sondern die Zeit zum Zufriedenseinkönnen.

[...]

(Elli Michler)

Aus: Dir zugedacht, Wunschgedichte, © Don Bosco Verlag, München, 19. Aufl. 2004

Ich kann ...

über Märchen sprechen und sie nacherzählen

Als Kind hat mir meine Oma oft Märchen vorgelesen. Ich liebe Geschichten von Prinzessinnen. / Als ich ein Kind war, haben mir Märchen manchmal auch Angst gemacht.
Märchen sind für Kinder wichtig: Sie mögen es, wenn es Gut und Böse gibt und das Gute gewinnt.
Märchen sind auch heute noch modern.
Es war einmal eine Prinzessin. Sie hatte eine goldene Kugel. Eines Tages spielte sie mit der Kugel am Brunnen vor dem Schloss. Plötzlich ...

über Kinofilme sprechen

Ich gehe oft ins Kino. Am liebsten mag ich Fantasyfilme/Actionfilme/Liebesfilme ...
Brad Pitt / ... ist mein/e Lieblingsschauspieler/in ... / Mein Lieblingsfilm ist ... / Hast du ... gesehen? Das ist eine tolle Geschichte. Es geht um ... / Johnny Depp spielt einen ... / ist ein ...
Letzte Woche habe ich ... gesehen. / Ich gehe nie ins Kino.

Ich kenne ...

das Präteritum

	regelmäßig		*unregelmäßig*	*Mischform*	*Modalverben*	*werden*
ich	ich	lebte	kam	dachte	wollte	wurde
du	du	lebtest	gingst	brachtest	wolltest	wurdest
er/sie/es	er/sie/es	lebte	rief	wusste	wollte	wurde
wir	wir	lebten	kamen	mochten	wollten	wurden
ihr	ihr	lebtet	nahmt	ranntet	wolltet	wurdet
sie	sie	lebten	lasen	kannten	wollten	wurden

Nebensätze mit *nachdem* im Plusquamperfekt

Perfekt: Der Frosch **ist** ins Bett gekommen. Der Wecker **hat** geklingelt.

Plusquamperfekt:

Nachdem der Frosch ins Bett gekommen war, warf die Prinzessin ihn an die Wand.

Nachdem der Wecker dreimal geklingelt hatte, bin ich endlich aufgestanden.

Diminutive (*-chen* und *-lein*)

Ich will von deinem Tellerlein essen und in deinem Bettchen schlafen.

die Unterscheidung zwischen *ch* [ç]- und *sch* [ʃ]-Lauten

Kirche ► Kirsche: Die Kirche steht im Dorf. Die Kirsche hängt am Baum.

Tipp
Benutzen Sie die Checkliste.
14

Teil 2

13

Nachdem die Spurensicherung und die Gerichtsmedizin ihre Arbeit beendet haben und weggefahren sind, kann Kommissar Müller nun die Nachbarn fragen, ob ihnen in der letzten Zeit etwas Besonderes aufgefallen ist. Zuerst spricht er mit einer älteren Dame, die sehr aufgeregt ist und ständig[1], „Ach, wie furchtbar[2]!" vor sich hin sagt. Ruhig spricht der Kommissar mit der grauhaarigen Dame: „Regen Sie sich doch nicht so auf. Erzählen Sie mir erst einmal, wer Sie sind und was Sie wissen."

„Ich heiße Grete Willmers und wohne hier schon seit fast 40 Jahren im Erdgeschoss, aber so etwas ist hier noch nie passiert. Wie furchtbar! Also, der Herr Hildmann, der wohnte erst seit ein paar Monaten im Haus. Ein netter junger Mann, immer höflich und ruhig. Na ja, nur vor ein paar Wochen hat er sich einmal ziemlich laut mit seiner Nachbarin gegenüber gestritten."

„Wissen Sie, warum die beiden gestritten haben, und könnten Sie mir den Namen der Nachbarin sagen?"

„Nein, warum Herr Hildmann mit Frau Schäfer gestritten hat, weiß ich nicht!"

„Sprechen Sie von Jutta Schäfer?"

„Ja, komische Frau, ständig arbeitet sie von früh bis spät. Man sieht sie fast nie. In ihrem Alter hatte ich schon zwei Kinder – na ja, aber die jungen Leute von heute, Sie wissen ja. Wenn ich da an meine Enkel denke ..."

„Gut, Frau Willmers, ist Ihnen sonst noch etwas aufgefallen?" fragt der Kommissar ungeduldig. Er weiß genau, dass Grete Willmers ihm sonst noch ihr ganzes Leben erzählt. „Nein, mehr fällt mir jetzt nicht zu Herrn Hildmann ein. Ach, wie furchtbar, dass er so jung gestorben ist", sagt sie und muss weinen. „Hier ist meine Nummer. Wenn Ihnen noch etwas einfällt, können Sie mich gerne anrufen. Auf Wiedersehen!" „Auf Wiedersehen, Herr Kommissar." Thomas Müller schaut auf die Uhr, schon 14:30 Uhr. Er hat Hunger und er braucht dringend einen Milchkaffee. Er erinnert sich an das Bistro Meyer in der Mendelssohnstraße, gleich in der Nähe. Zusammen mit Uwe verlässt[3] er die Bettinastraße für eine kurze Pause. Als er gerade seinen Milchkaffee bestellt hat, klingelt sein Handy. „Ja?"– „Ach du bist's, Markus. Gibt's was Neues?" – „So gegen fünf Uhr heute Morgen, aha!" – „Von vorn erstochen? Wahrscheinlich ein Profi, hm. Habt ihr auch schon Infos von der Spurensicherung?" – „Noch nicht, erst am frühen Abend, hmm." – „Nee, wir machen gerade eine kurze Pause." – „Ja, ich melde mich, tschüss!"

Thomas schaut zu Uwe, der ein Stück Kuchen isst, und sagt: „Das war die Gerichtsmedizin, die haben ja fix[4] gearbeitet. Ich schreibe schnell mal eine SMS an das Kommissariat, die sollen alle Informationen über Jutta Schäfer sammeln, ich möchte mehr über sie wissen. Er nimmt sein Handy und tippt: *Brauche Infos zu Jutta Schäfer. Alter - Familienstand - Beruf - Wohnsitz - Vorstrafen*[5]*. Gruß Thomas.* Schnell trinken die beiden ihren Kaffee aus und gehen noch mal zurück in die Bettinastraße. Dort erwartet sie eine Überraschung.

1 ständig = immer wieder
2 furchtbar = schrecklich
3 verlassen = gehen, weggehen
4 fix = schnell
5 die Vorstrafe = hat man, wenn man schon einmal kriminell war

1. Was bisher geschah. (Kapitel 1, S. 15)
2. Was ist jetzt passiert? (Was? Wer? Wann? Wo?).
3. Die Figuren: Grete Willmers. (Name, Alter, Beruf, Aussehen ...)
4. Telefonat: Zeile 40–45. Was hat die Gerichtsmedizin gesagt?
5. Frage-Antwort-Bälle.

Werte und Wünsche

Lebensqualität

A

B

C

D

1 **Wichtige Werte.**
a) Was ist wichtig im Leben? Lesen Sie die Begriffe.
Diskutieren Sie zu zweit und wählen Sie die drei für Sie wichtigsten Werte.

Arbeit • Bildung • Demokratie • Frieden • Familie • Freundschaft • Gesundheit • Freiheit • Geld • Gerechtigkeit • Sicherheit

b) Machen Sie eine Kursstatistik. Jeder Wert auf Platz 1 bekommt drei, auf Platz 2 zwei Punkte und die Werte auf Platz 3 einen Punkt. Welcher Wert hat die meisten Punkte?

2 **Sehen Sie die Fotos an. Wofür kämpfen die Menschen?**
Welche Themen sind in Ihrem Land besonders wichtig? Diskutieren Sie im Kurs.

Sie demonstrieren für Freiheit/Gerechtigkeit/Frieden / mehr Lehrer / ...
Sie sind gegen Atomkraftwerke/Krieg/... Sie haben Angst, dass (noch) etwas passiert.
Es ist wichtig, dass man seine Meinung sagen / schreiben darf.
Alle Menschen sollten eine Arbeit haben. Jeder muss genug Geld zum Leben haben.
Der Staat / Die Regierung muss für eine gute Ausbildung / Bildung / gute Schulen sorgen.
Das Wichtigste ist, dass alle Menschen in Frieden leben können.
Es wäre gut, wenn alle Menschen genug zu essen und sauberes Wasser hätten.

3 Lebensqualität heute.

a) Lesen Sie den Artikel und ergänzen Sie die Satzanfänge.

1. Die Firma Mercer macht jedes Jahr...
2. Sieben Großstädte in D A CH ...
3. Auf dem ersten Platz ...
4. Die Studie vergleicht ...
5. Mercer verkauft die Daten an ...
6. Jede Stadt bekommt ...

Mercer-Studie zur Lebensqualität 2010: Wien auch in diesem Jahr auf Platz 1

Die weltweite Umfrage von Mercer, die jedes Jahr die Lebensqualität in Großstädten vergleicht, kommt 2010 zu dem Ergebnis, dass sieben Städte in D A CH unter den Top 10 sind: Wien, Zürich und Genf liegen auf den Plätzen 1 bis 3, Düsseldorf auf dem sechsten Platz. Den siebten Platz teilen sich Frankfurt und München. Bern liegt auf Platz 9. Andere europäische Städte sind nicht unter den ersten zehn Städten. (Vancouver ist zusammen mit Auckland auf Platz 4, Sydney belegt den 10. Platz). Die Studie vergleicht insgesamt 211 Großstädte. Das große Schweizer Unternehmen bietet die Daten Regierungen und internationalen Firmen an, die Mitarbeiter ins Ausland schicken wollen. Damit man die Lebensqualität feststellen kann, hat Mercer ein Punktesystem entwickelt. Jede Stadt bekommt für insgesamt 39 Kriterien Punkte.
So zum Beispiel für persönliche Sicherheit und Gesundheit, für die Bildungs- und Verkehrsangebote und für bestimmte Fragen zur politischen und wirtschaftlichen Situation.

14

b) Hören Sie und vergleichen Sie Ihre Lösung aus a). Dann kommentieren Sie die Sätze 2–6.

Das hätte ich nicht gedacht. • Echt? • Das ist ja interessant. • Das kann ich mir gar nicht vorstellen. • Klar, natürlich. • Nicht zu glauben!

4 Meinungen.

a) Ordnen Sie die Redemittel. Was ist positiv, was negativ? Machen Sie eine Tabelle.

Ganz meine Meinung. / Ich bin (ganz) anderer Meinung. / Das ist richtig/gut. / Das finde ich auch. / Davon halte ich nicht viel. / Das stimmt. / Ich bin überhaupt nicht dieser Meinung. / Das ist zu einfach. / Das ist einfach falsch. / Das ist doch Unsinn! / Das sehe ich auch so. Das ist zu teuer/unmöglich.

Zustimmung	Ablehnung

b) Lesen Sie die Aussagen und wählen Sie eine aus. Sind Sie auch dieser Meinung? Nutzen Sie die Sätze aus a) und begründen Sie Ihren Kommentar mit einem Satz.

Jeder sollte gratis studieren können.

Man sollte alle Atomkraftwerke abschalten.

Niemand sollte mehr als 35 Stunden in der Woche arbeiten.

Alle sollten mindestens 600 Euro im Monat bekommen.

Ich frage mich, was wichtig ist.

5 **Macht Geld glücklich? Alle beenden beide Sätze und lesen sie vor. Welche Begründung ist am häufigsten?**

Ja, denn ...

Nein, weil ...

6 **Ein Text in drei Teilen.**

a) Wie lebt Karl Rabeder heute? Lesen Sie die Überschrift und den ersten Teil. Sprechen Sie über Ihre Vermutungen im Kurs.

Österreichischer Millionär will arm und glücklich werden

Karl Rabeder kommt aus einer einfachen Familie, sein Studium finanzierte er selbst. Als er 1986 eine Firma gründete und sehr schnell viel Geld verdiente, machte ihn das zuerst froh. Er dachte: „Wenn schon wenig Reichtum glücklich macht, dann muss mehr Reichtum noch glücklicher machen." Schon mit 30 war er Millionär und lebte auch so: Er hatte fünf Flugzeuge, eine Limousine, ein Ferienhaus in Frankreich, eine Luxusvilla in Tirol. Und er reiste viel, vor allem nach Lateinamerika. Er wohnte in 5-Sterne-Hotels, genoss den Luxus, feine Küche, exklusive Hubschrauber-Touren, aber etwas stimmte nicht. Immer wenn er zurückkam, merkte er, dass er nicht glücklicher war. Im Gegenteil: Er fühlte sich immer unwohler, zu satt und gleichzeitig leer.

b) Was hat Karl Rabeder 2010 gemacht? Markieren Sie im Text.

Nach einem besonders teuren Hawaiiurlaub beschloss er, sein Leben zu ändern. Zuerst engagierte er sich stärker in Lateinamerika. 2004 verkaufte er seine Firma und dann nach und nach immer mehr von seinem Besitz. 2010 konnte man viel über Karl Rabeder in der Presse lesen: „Herr Rabeder zieht aus", „Warum ein Millionär seinen Besitz verlost". Denn Herr Rabeder hatte 2008 den Verein *MyMicroCredit* gegründet. Weil er mehr Geld für ihn brauchte, verkaufte er Lose im Internet. Mit so einem Los

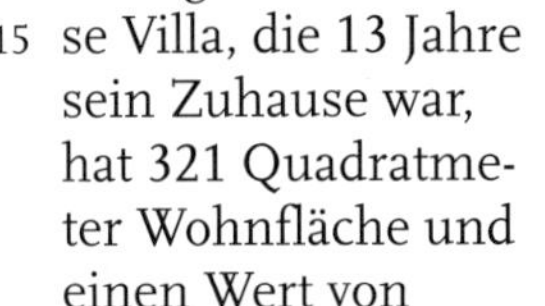

für 99 Euro konnte man seine Villa in Tirol gewinnen. Diese Villa, die 13 Jahre sein Zuhause war, hat 321 Quadratmeter Wohnfläche und einen Wert von 1,6 Millionen Euro. 22.000 Personen kauften ein Los. Am Ende war es eine Deutsche, die die Villa gewann.

c) Lesen nach Zahlen. Finden Sie die Zahl im Text zu b) und notieren Sie die passende Information dazu.

2004 • 2008 • 99 Euro • 13 Jahre • 321 m² • 1,6 Mio € • 22.000

2004 verkaufte Karl Rabeder seine Firma

Schon fertig?
Was glauben Sie? Wie lebt die Losgewinnerin heute? Schreiben Sie.

d) Warum hat Karl Rabeder sein Leben geändert? Finden Sie Gründe im Text und markieren Sie sie.

Viele Menschen haben ihn gefragt, warum er so viel von seinem Besitz verschenkt hat. „Mein Wunsch war es, glücklich zu sein. Am Anfang habe ich gedacht, Erfolg und schöne Dinge machen glücklich. Aber es war anstrengend, so viel zu erreichen. Ich fragte mich plötzlich, warum ich ein zweites Haus habe. Ich wusste nicht, was ich mit all den Dingen mache, die ich eigentlich nicht brauche. Dann dachte ich, das Wichtigste ist Freiheit, aber auch die ist größer, wenn man Geld hat. Geld und Zeit. Zeit für die Dinge, die mir wirklich Spaß machen – wie das Fliegen. Dann habe ich meine Firma verkauft, damit ich mehr fliegen konnte. Aber auch das Fliegen war nur ein Versuch, immer wieder zu gewinnen. Ich überlegte, was mich wirklich glücklich macht. Die Antwort: Für andere von Nutzen sein. Denn manchmal blieb ich auch länger an einigen Orten. Zum Beispiel einen ganzen Winter in Argentinien, einem Land mit sehr glücklichen, aber auch sehr armen Menschen. Ich habe in Lateinamerika so viel Schönes bekommen und ich beschloss, etwas zurückzugeben. Ich begann, mich für Mikrokredite zu interessieren."

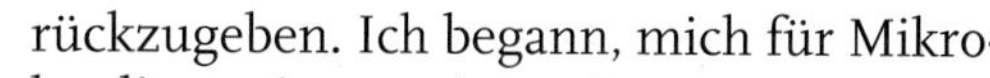

MyMicroCredit ist ein Verein, der Menschen in Lateinamerika Kleinkredite gibt, meist nur ein paar hundert Euro. Karl Rabeder dazu: „In diesen Ländern können schon 25 Euro viel verändern."

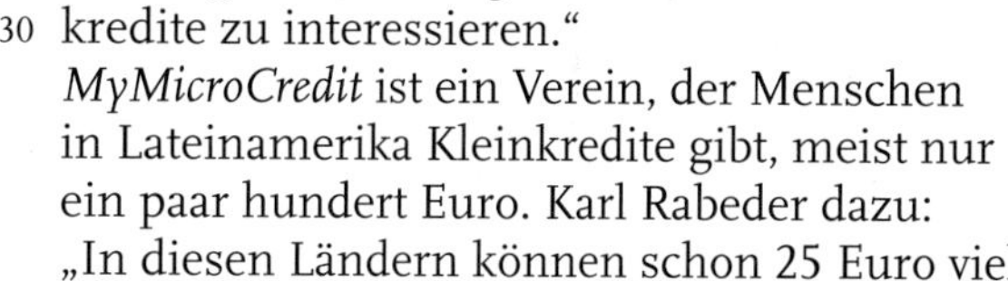

Karl Rabeder versucht heute, von 1000 Euro im Monat zu leben. Er lebt in einem 2-Zimmer-Häuschen, schreibt Bücher und gibt Managern, die lernen wollen, glücklich zu sein, Seminare.

---

7 Warum will Karl Rabeder nur noch von 1000 Euro im Monat leben? Diskutieren Sie im Kurs.

8 *Wer, wie, warum* im Satz. Nebensätze mit W-Wörtern.
Lesen Sie die Fragen und notieren Sie, wie im Beispiel, den passenden Satz aus dem Text in Aufgabe 6d).

1. Warum habe ich ein zweites Haus?
   Ich fragte mich, warum ich ein zweites Haus (habe).
2. Was mache ich mit all den Dingen, die ich eigentlich nicht brauche?
3. Was macht mich wirklich glücklich?

Wissen Sie es noch?
Indirekte Frage mit **ob**:
Er wusste nicht, ob sie kommt oder nicht.

9 Indirekte Fragen würfeln. Würfeln Sie zweimal und kombinieren Sie.

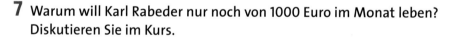

	⚀	⚁	⚂	⚃	⚄	⚅
1.	*Ich frage mich*	*Mich interessiert*	*Er weiß nicht*	*Sie überlegt*	*Kannst du mir sagen*	*Weißt du*
2.	*warum K. Rabeder sein Haus verschenkt hat*	*wie alt du bist*	*wo er wohnt*	*wer heute kommt*	*wann der Film anfängt*	*was wir noch tun müssen*

10 Sie finden 25 Euro. Was machen Sie damit?

Lust zu leben

11 Infinitiv mit *zu*.
Lesen Sie noch einmal den Text auf Seite 29 und ergänzen Sie die Satzanfänge.
a) Wo steht der Infinitiv und was steht davor? Unterstreichen Sie.

0. Mein Wunsch war es, *glücklich zu sein*.
1. Aber es war anstrengend, ...
2. Auch das Fliegen war ein Versuch, ...
3. Ich beschloss, ...
4. Ich begann, ...
5. Karl Rabeder versucht, ...

b) Ergänzen Sie die Regel.

Regel: Es gibt Ausdrücke, nach denen ein Infinitiv mit *zu* folgt.

Dann steht der Infinitiv ____________ ____________ und vor dem

Infinitiv steht ____________.

Lesen Sie, nach welchen Nomen Verben Adjektiven häufig ein Infinitiv mit zu *steht.* 34

c) Infinitiv mit *zu* bei trennbaren Verben. Lesen Sie das Beispiel und beenden Sie die Sätze.

0. einkaufen: Herr Rabeder hat keine Lust mehr, viel ein**zu**kaufen.
1. das Licht ausmachen: Ich habe vergessen, ____________
2. dich ansehen: Es gefällt mir, ____________
3. das Formular ausfüllen: Ich habe keine Zeit, ____________

12 Die Infinitiv mit *zu*-Kette.
a) Schreiben Sie diese Satzanfänge auf Karten.

Ich habe (keine) Zeit,
Ich habe (keine) Lust,
Es gefällt mir,
Es ist toll/schön,
Es ist schwierig / nicht leicht,
Hör auf,
Ich hoffe,
Ich habe vergessen,
Ich beginne,

Wörter lernen • etwas Neues lernen • neue Menschen kennenlernen • in Österreich wohnen • Deutsch sprechen • aus der Heimat weggehen • ohne Geld leben • glücklich sein • ...

b) Jede/r zieht eine Karte und merkt sich den Satzanfang.

c) Eine/r beginnt und sagt den Satzanfang und wirft dann den Ball. Der/Die ihn fängt, beendet den Satz.

13 Lebenswünsche.
a) Welche Wünsche haben Sie für Ihr Leben? Schreiben Sie eine Liste mit drei bis vier Punkten.

viel Freizeit haben • sehr viel Geld haben • gut aussehen • viele Freunde haben • ...

b) Wählen Sie drei Wünsche aus und sprechen Sie im Kurs. Begründen Sie Ihren Wunsch.

Ich wünsche mir, mehr Freizeit zu haben, weil ich viel Sport treiben will.

14 Kita[1]-Lärm. Lesen Sie die Sätze und hören Sie. Was passt zu wem? Ordnen Sie zu.

15

a) ein Musiker
b) eine Rentnerin
c) eine Politikerin
d) eine Frau vom Kinderschutzbund
e) eine Erzieherin

Anwohner beschweren sich über Kinder: ZU LAUT!

1. Es ist wichtig, einen Kompromiss in diesem Streit zu finden. ☐
2. Ich hoffe, auch in Zukunft mit den Kindern hinausgehen zu dürfen. ☐
3. Es nervt mich, nicht in Ruhe ausschlafen zu können. ☐
4. Ich finde es wunderbar, den ganzen Tag Kinderstimmen zu hören. ☐
5. Es ist nicht okay, in einer so kinderfeindlichen Gesellschaft zu leben. ☐

1 Kita = Abkürzung in (D) für Kindertagesstätte = Kindergarten

15 Was ist wichtig für wen?

a) Schreiben Sie Infinitiv-Sätze mit *zu*.

0. Politiker: Wähler und Wählerinnen gewinnen
   Für die Politiker ist es wichtig, Wähler und Wählerinnen zu gewinnen
1. Erzieherinnen: mit den Kindern hinausgehen können
2. Nachbarn: Ruhe haben
3. Kinderschutzbund: Kinder ernst nehmen
4. Journalisten: eine gute Geschichte schreiben
5. Kinder: spielen können

für oder gegen etwas sein:

Ich bin gegen eine Lärmschutzmauer

b) Und was finden Sie wichtig? Sagen Sie Ihre Meinung in einem Satz.

Ich finde es wichtig, Kindern Platz zu geben

Ich finde es schön, wenn ...

16 Backen oder packen?

16

a) Was hören Sie? Kreuzen Sie an.

1. packen ☐ backen ☐
2. tanken ☐ danken ☐
3. tippen ☐ dippen ☐
4. können ☐ gönnen ☐

17

b) Hören Sie und sprechen Sie nach.

c) Suchen Sie in der Wörterliste Begriffe, die mit *p/b*, *t/d*, *k/g* anfangen, und sprechen Sie sie im Kurs. Die anderen sagen, welchen Buchstaben sie hören.

155

Üben Sie mit einem Blatt Papier:

P

17 Arbeiten Sie zu zweit. Schreiben Sie mit den Wörtern aus Aufgabe 16 c) einen Reim und lesen Sie ihn laut vor.

Willst du guten Kuchen backen, musst du Butter einpacken.

Alle zusammen

18 **Eine Diskussion führen.**

a) Das Thema. Bilden Sie 4er-Gruppen. Wählen Sie ein Thema aus.

Hausaufgaben sind Zeitdiebe. Man sollte sie verbieten.

Niemand sollte mehr als 30 Stunden in der Woche arbeiten.

b) Die Argumente. Lesen Sie die Liste. Ordnen Sie jedem Thema *Pro-* und *Kontra-*Argumente zu.

- Dann hätte man mehr Zeit für die Familie und das ist ja das Wichtigste.
- Dann würde man viel zu wenig verdienen/lernen.
- Viele Firmen könnten dann schließen.
- Das wäre schlimm, denn man würde nichts mehr schaffen.
- Zu Hause kann man eh nichts lernen.
- Dann würde ich mich oft langweilen.
- Dann müssten wir mindestens 30 Stunden mehr Unterricht haben.
- Das wäre gut für die Gesundheit.
- Das würde die Lebensqualität sehr verbessern.

c) Die Rollen. Lesen Sie die Personenbeschreibungen und verteilen Sie in Ihrer Gruppe die Rollen. Schreiben Sie zu Ihrer Rolle eine Karte. Dazu wählen Sie Argumente aus b) aus. Sie können auch weitere Argumente aufschreiben. Der/Die Moderator/in hilft den anderen.

rotes Thema
1. Lerner/in: Mag Hausaufgaben nicht.
2. Lerner/in: Sehr fleißig, möchte bald Prüfung machen.
3. Lehrer/in: Denkt, dass es ohne Hausaufgaben nicht geht.

grünes Thema
1. Alleinerziehende/r: Hat immer zu wenig Zeit.
2. Unternehmer/in: Will viel Gewinn machen.
3. Angestellte/r: Liebt seine/ihre Arbeit und will Karriere machen.

Moderator/in
(Thema vorlesen) Wie ist Ihre Meinung, (Name)?
Und was sagen Sie dazu?
Danke, jetzt bitte Sie.
Ja, das ist sehr interessant.
Wir haben gehört, dass ...
Ich glaube, ich kann sagen ...
Vielen Dank.

19 **Die Diskussion im Plenum.**
Verteilen Sie im Plenum den Beobachtungsbogen. 

a) Eine Gruppe diskutiert fünf Minuten.
Der/Die Moderator/in stellt Fragen, lenkt das Gespräch und stoppt die Zeit. Die anderen beobachten die Diskussion und füllen Ihren Beobachtungsbogen aus.

b) Diskutieren Sie Ihre Beobachtungen im Kurs.

Glück

Bertolt Brecht (1898–1956)

Ja, renn nur nach dem Glück
doch renne nicht zu sehr
denn alle rennen nach dem Glück
das Glück rennt hinterher.

(aus: Die Dreigroschenoper)

Kann man Glück lernen? – Glück als Schulfach

An der Martin-Buber-Schule in Heppenheim gibt es ein besonderes Schulfach: Glück. Die Schüler in der Glücksklasse von Cäcilia Korte und Timo Kolb sind zwischen 13 und 15 Jahre alt. Heute geht es ums Innehalten. Die Jugendlichen sollen lernen, vor einer Entscheidung kurz „Stopp“ zu sagen. Sie sollen vorher einen Schritt zurückgehen und über mögliche Reaktionen nachdenken. Eine Grundregel, die Freydun schon bei der letzten Chemiearbeit geholfen hat. „Ich habe kurz Stopp gesagt und mir fiel alles wieder ein“, erinnert er sich. Oder beim Fußball. „Wenn ich vor dem Tor kurz warte, wird der Schuss besser“, sagt ein Mitschüler.

Das Prinzip im Glücksunterricht ist die Vermittlung von Schlüsselerlebnissen. Dazu gehören Vertrauensspiele wie das Gehen über eine Wackelbrücke oder gemeinsame Klettertouren – oder eben der Stockkampf. Timo Kolb wünscht sich, dass seine Schüler sicher im Leben stehen. Doch auch im Glücksunterricht gibt es Noten für Mitarbeit, Verhalten und schriftliche Zusammenfassungen. Aber ohne Leistungsdruck, betont Kolb. Schließlich gibt es beim Glück kein richtig oder falsch.

Die meisten Schüler gehen gern in den Glücksunterricht. „Man fühlt sich wohler. Es ist ein besserer Start in den Tag“, sagt Freydun. „Mathe ist nur Stress. Hier kann man die Gedanken loslassen.“ Frederik gefällt, dass der Unterricht das Positive betont. In anderen Fächern heißt es schnell, die Stunde war langweilig oder die Aufgabe war zu schwer. Der Glücksunterricht am Freitagmorgen macht dagegen ein gutes Gefühl: „Das ist ein perfekter Wochenabschluss und vor der Pause ist man viel besser drauf.“

(aus Echt 1/2011)

Ich kann ...

über Werte sprechen

Es ist wichtig, dass man seine Meinung sagen / schreiben darf.
Alle Menschen sollten eine Arbeit haben. Jeder muss genug Geld zum Leben haben.
Deshalb muss der Staat/die Regierung für eine gute Bildung/Ausbildung / für gute Schulen sorgen.
Das Wichtigste ist, dass alle Menschen in Frieden / in Freiheit / in Sicherheit leben können.
Ich frage mich, was uns wirklich glücklich macht.
Es ist nicht leicht, glücklich/gerecht/... zu sein.

meine Meinung äußern, zustimmen oder ablehnen

Ganz meine Meinung. / Das ist wahr/richtig/so. / Das stimmt. Das sehe ich auch so.
Das stimmt nicht. / Ich bin (ganz) anderer Meinung. / Davon halte ich nicht viel. / Das ist zu einfach. / Das ist einfach falsch. / Das ist doch Unsinn! / Ich bin überhaupt nicht dieser Meinung.
Ich bin gegen/für ...

Aussagen kommentieren

Das hätte ich nicht gedacht. / Echt? / Das ist ja interessant. / Das kann ich mir gar nicht vorstellen. / Klar, natürlich. / Nicht zu glauben!

Ich kenne ...

Nebensätze mit W-Wörtern (indirekte Fragen)

Hauptsatz	**Nebensatz**	
Ich frage mich,	was	ich machen soll.
Er/Sie fragt sich,	wer	heute kocht.
Ich überlege,	wann	der Film anfängt.
Mich interessiert,	wie	es dir geht.
Er/Sie überlegt,	wo	er wohnt.
	warum	er ein zweites Haus hat.

Infinitiv mit *zu* nach:

Nomen:	Ich habe Angst/Zeit/(das) Glück/Lust/den Wunsch, ein Haus zu bauen.
Verben:	Ich habe vergessen/versucht/beschlossen, den Schlüssel mit**zu**nehmen.
	Ich hoffe, dich zu sehen. Ich lerne, mehr an mich zu denken.
	Ich muss anfangen/beginnen/aufhören, immer „nein" zu sagen
Adjektive:	Es ist wichtig/schön/schwierig/interessant, mit weniger Geld zu leben.
	Ich bin froh/glücklich/stolz, hier zu sein.

den Unterschied zwischen *p/b, d/t* und *g/k*

packen – backen, tanken – danken, können – gönnen

Tipp
Benutzen Sie die Checkliste.
14

Teil 3

18

Als sie um die Ecke kommen, stehen schon viele Journalisten vor dem Haus in der Bettinastraße. Sie haben die Nachricht vom Mord im Westend ja schnell bekommen. Woher? Thomas Müller ist sich schon seit langem sicher, dass es einen Kollegen gibt, der Kontakte zur Presse hat. Nachdem Kommissar Müller die Journalisten kurz informiert hat, bittet er sie, zu gehen. Die Kollegen, die in der Bettinastraße geblieben sind, haben in der Zwischenzeit mit weiteren Hausbewohnern gesprochen. Alle berichten, dass Stefan Hildmann ein freundlicher, ruhiger, junger Mann war. Niemand kannte ihn näher. Die Nachbarn, die sie bis jetzt gefragt haben, hatten alle ein Alibi[1] für die Nacht von Sonntag auf Montag. Aber in zwei Wohnungen hatten sie niemanden getroffen. Eine Familie ist am Samstag in den Urlaub gefahren. Es war ja bald Ostern. In der anderen Wohnung lebt das Ehepaar Kosch. Sie sind beide berufstätig und kommen, so erzählten die Nachbarn, oft erst am Abend so gegen 19 Uhr nach Hause. Kommissar Müller und Uwe Peikert beschließen, am Abend noch einmal wiederzukommen. Was ihnen noch fehlt, ist ein Motiv[2]. Warum tötet man einen jungen Mann, den alle als sympathisch beschreiben? Es fehlen also noch wichtige Antworten, aber welche? Bis 19 Uhr sind es noch zweieinhalb Stunden, neue Informationen von der Spurensicherung würden sie sicher erst morgen bekommen. Wenn sie jetzt zusammen ins Polizeipräsidium zurückfahren würden, müssten sie wieder durch den Berufsverkehr.

„Hast du Lust, mit mir in den Palmengarten zu gehen, Uwe? Ich war schon lange nicht mehr dort und bei dem wunderbaren Frühlingswetter blüht[3] dort bestimmt alles in den tollsten Farben. Außerdem machen sie im Café Siesmayer einen sehr guten Kaffee." Sein Kollege, der Thomas' Liebe zu Milchkaffee schon lange kennt, ist einverstanden: „Das ist eine wunderbare Idee, ich war das ganze Wochenende nicht draußen." Auf dem Weg zum Palmengarten erhält Müller eine SMS: *Rufen Sie mich bitte sofort an, ich habe eine wichtige Information für Sie. Gruß Jutta Schäfer*

Als er versucht, sie anzurufen, ist das Handy besetzt. Müller und Peikert gehen in den Palmengarten, setzen

sich auf die Terrasse vom Café, bestellen einen Milchkaffee und genießen die Sonne. Immer wieder versucht Thomas Müller, Jutta Schäfer zu erreichen. Aber das Handy bleibt besetzt. Eine halbe Stunde später ist es aus, es kommt nur die Ansage: „Die gewünschte Person ist zur Zeit nicht erreichbar." Merkwürdig, denkt er. Dann klingelt plötzlich sein Handy: „Ja? – Ja, hier ist Müller. Wer spricht da? – Ach, Herr Kosch aus der Bettinastraße. Schön, dass Sie sich melden. Woher haben Sie denn meine Nummer? – Von Frau Willmers? Stimmt, der hatte ich heute Morgen meine Karte gegeben. – Nein, Sie stören nicht, was gibt es denn? – Mmh. – Sie können uns etwas zu Stefan Hildmann sagen? – Er hatte in der letzten Zeit Probleme? – Mit wem denn? – Mit Frau Schäfer? Ja, Frau Willmers hat mir auch schon so etwas erzählt. Wissen Sie, was für Probleme die beiden hatten? – Sie glauben, dass er sich in Frau Schäfers Privatleben eingemischt[4] hat? – Sagen Sie Herr Kosch, sind Sie zu Hause? – Gut, dann bin ich in einer Viertelstunde bei Ihnen. Bis dann."

1 das Alibi: man hat es, wenn andere sagen können, wo man war, als die Tat geschah
2 das Motiv = der Grund
2 blühen: Blumen blühen
3 sich einmischen: den anderen nicht in Ruhe lassen

1. Was bisher geschah. (Teil 1, S. 15 und Teil 2, S. 25)
2. Was ist jetzt passiert? (Was? Wer? Wann ? Wo?)
3. Die Figuren: Kommissar Müller. (Name, Alter, Beruf, Aussehen ...) 126
4. Telefonat, Zeile 47–59. Zeile ...: Was hat Herr Kosch gesagt?
5. Frage-Antwort-Bälle.

Klima und Umwelt

Klima global

1 Unser Klima.

a) Welches Bild finden Sie besonders interessant? Warum? Erzählen Sie.

Ich mache mir Sorgen, dass ...

Ich glaube, dass ...

b) Ordnen Sie die Fotos den Texten zu. Ein Foto passt nicht. Was ist das?

A

Hallstätter-Gletscher 1906 und 2003

Wasser ist ein großes Thema. Bei uns wird es immer trockener und die Wüsten wachsen. ☐

Samir, 22 Jahre, Marrakesch

B

Der Klimawandel macht mir Angst. Wir verbrauchen zu viel Energie. Es gibt immer mehr Autos. Wir müssen etwas ändern, aber was? ☐

Mimi, 24 Jahre alt, Shanghai

Diese ganze Panik. Das ist doch alles Unsinn! Das Klima hat sich schon immer verändert. ☐

Urs, 70 Jahre, Bern

C

Stimmt, das Klima wird immer extremer. Bald gibt es in den Alpen keine Gletscher mehr. Die Winter werden immer wärmer. ☐

Resi, 60 Jahre, Salzburg

D

c) Sammeln Sie „Umwelt-Wörter".

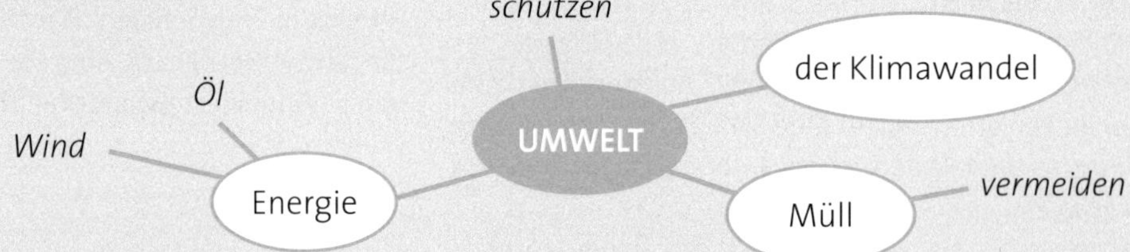

2 **Verteilen Sie sich im Kursraum und sprechen Sie über das Klima und Wetter in Ihrem Land.***

* **Wenn Sie alle aus dem gleichen Land sind, erzählen Sie, was Sie über das Wetter in D A CH wissen.**

Bei uns in London regnet es auch im Sommer oft, aber die Winter sind nicht sehr kalt.

In Deutschland kann es sehr kalt werden, oder?

In Griechenland sind die Sommer sehr heiß. Oft ist es zu trocken.

3 Klimaheld für einen Tag.
a) Lesen Sie den Text und beantworten Sie die Fragen im Kurs.

1. Was macht der Autor, damit er ein Klimaheld wird?
2. Welche Stromfresser findet der Autor bei sich?
3. Was kann man bei *www.klimaretter.info* machen?

b) Schreiben Sie zwei Fragen zum Text auf Kärtchen. Sammeln Sie alle Kärtchen in einer Kiste. Eine/r zieht eine Frage, eine/r antwortet.

Ein Selbstversuch

Sieben Uhr morgens: Der Wecker klingelt. Ein besonderer Tag beginnt. Heute bin ich ein Klimaheld. Denn Umweltschutz reicht nicht, um den Klimawandel zu stoppen. Das Klima braucht Helden. Und schon geht es los. Ich rechne: Der Radiowecker frisst rund um die Uhr Strom. Das macht 22,6 Gramm CO_2* pro Tag. Eine Eiche kann circa 25 kg CO_2 im Jahr binden. Für drei kleine Radiowecker braucht man also eine große Eiche. Im Keller habe ich noch einen alten Wecker, der keinen Strom braucht. Weg auch mit dem Elektrorasierer. Ein Klimaheld ist konsequent: Ich dusche nicht, der Computer bleibt aus, das Brot muss ich nicht toasten und wenn das Radio aus ist, kann ich mich besser mit meiner Familie unterhalten. Unglaublich, wie viel Strom ich schon vor der Arbeit spare!

Mittags: Wie viel Held bin ich schon? Auf *stadt-land-flut.de* analysiert ein „Klimaretter-Check", dass ich noch viel zu wenig spare. Um das zu ändern, mache ich einen Großeinkauf. Die Klimahelden-Einkaufsliste finde ich in einem Prospekt von der CO_2online GmbH. Ich brauche unbedingt Töpfe, die exakt auf den Herd passen und Deckel, die genau auf den Topf passen: So kann ich pro Topf 120 Kilogramm CO_2 sparen. Oh, es gibt Steckdosen, die man per Funk steuern kann, um die Stand-by-Funktion beim Fernseher, Drucker usw. auszuschalten. Ich kaufe sie. Mein CO_2-Fußabdruck wird immer kleiner und ich immer ärmer. 170 Euro habe ich schon ausgegeben.

Abends: Im Dunkeln suche ich in meiner Wohnung rote Stand-by-Lämpchen. Alle Stromfresser kommen an die neuen Steckdosen, um sie vom Bett aus vom Netz zu trennen. Doch auf dem Weg ins Bett sehe ich noch die fünf Lämpchen am WLAN-Router. Die leuchten immer, damit ich telefonieren kann. Aber wenn ich ein schlechtes Gewissen habe, kann ich nicht einschlafen. Zeit für *klimaretter.info*. Unter „Beichtstuhl" kann man seine Fehler zugeben, einer schreibt: „Ich bin 300 Kilometer Auto gefahren, um eine Nacht bei meiner Freundin zu sein." Ich gebe meine Fehler auch zu und jemand hat mir geantwortet, dass ich bei einer Umweltschutzgruppe mitmachen soll. Mach ich, gleich morgen!

* CO_2 Kohlendioxid: entsteht bei Verbrennung und gilt als Hauptgrund für den Klimawandel.

der Stromfresser

der Klimaheld

die Eiche

der Wecker

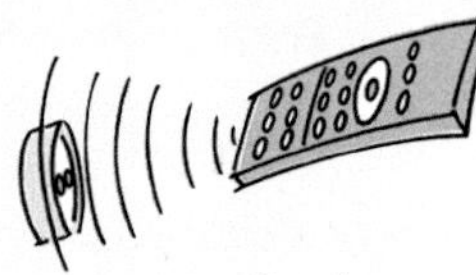
per Funk

der Fußabdruck

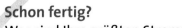

Schon fertig?
Was sind Ihre größten Stromfresser? Machen Sie eine Liste.

Verzichten, um zu leben?

4 Sätze mit *um ... zu*.
a) Verbinden Sie. Vergleichen Sie mit dem Text auf Seite 37.

1. Umweltschutz reicht nicht,
2. Um das zu ändern,
3. Man kann die Steckdosen per Funk steuern,
4. Ich bin 300 Kilometer Auto gefahren,

a) um die Stromfresser vom Bett aus vom Netz zu trennen.
b) um den Klimawandel zu stoppen.
c) um eine Nacht bei meiner Freundin zu sein.
d) mache ich einen Großeinkauf.

b) Schreiben Sie die Sätze aus a) ins Heft und markieren Sie.

Wo steht *um*? – Wo steht *zu*? – Wo steht das Verb im Infinitiv?

Anfang, Ende?
Vorne, hinten?

c) Ergänzen Sie die Regel.

Regel:
In einem Nebensatz mit *um ... zu* steht *um* immer am ___________,
zu steht immer ___________ dem Infinitiv, der am ___________
steht. Der *Um ... zu*-Satzteil kann vorne oder ___________ stehen.

5 Umweltschutz ja, aber ...
a) Fragen und antworten Sie abwechselnd mit *um ... zu*.
Nutzen Sie die Kästen.

Was kann ich tun, um [1] ...

Um [1], kannst du [2]

[1] die Umwelt zu schützen?
das Klima zu schützen?
Strom zu sparen?

[2] auf das Auto/das Flugzeug verzichten.
weniger duschen/heizen.
öfter den Computer ausschalten.
weniger Fleisch essen.
...

b) Was spricht dagegen?
Formulieren Sie ein Gegenargument.

Aber ich ...

brauche ...
muss oft/viel ... (*Dinge aus* [2])

um [3]

[3] in den Urlaub zu fahren
zur Arbeit zu kommen
nicht zu stinken /frieren
mich zu informieren
gesund zu bleiben

Aber ich muss ...

Aber ich brauche das Auto, um zur Arbeit zu kommen.

6 *Um zu* und *damit*. Vergleichen Sie die Sätze und ergänzen Sie die Regel.

Ich brauche das Auto, um zur Arbeit zu fahren.
Ich brauche das Auto, damit die Kinder in die Schule kommen.

Regel:
Beide Sätze drücken einen Zweck aus. Wenn es nur ________ Subjekt gibt, kann ich *um ... zu* sagen. Wenn es zwei verschiedene Subjekte gibt, muss ich ________ sagen.

Damit-Sätze und *Um ... zu-Sätze* drücken einen Zweck aus. Man kann mit **wozu** nach ihm fragen.

7 **Stromausfall – was nun?**
a) Arbeiten Sie in Gruppen.
Sie haben 72 Stunden lang keinen Strom. Wie organisieren Sie diese Zeit? Machen Sie eine Liste.

– Kerzen anzünden

Damit wir ...

Um etwas zu sehen, zünden wir Kerzen an.

Sie wollen: kochen • sich nicht langweilen • jemandem Bescheid sagen • einen Brief schreiben • sich waschen • ...

b) Präsentieren Sie Ihre Liste im Kurs.
Wer hat die besten Ideen?

8 **Textdetektive. Arbeiten Sie mit dem Text auf Seite 37.**

1. Suchen Sie alle Wörter, die aus zwei Nomen zusammengesetzt sind. Wie viele fangen mit „Klima" an?
2. Suchen Sie alle Verben zum Tagesablauf. Schreiben Sie einen kleinen Text über Ihren Tag.
3. Wählen Sie Ihr Lieblingswort.

Klimaheld,

Der Wecker klingelt,

19

9 **Deutsch – ein Wort, viele Konsonanten.**
a) Hören Sie und sprechen Sie nach.

b) Hören Sie noch einmal und ergänzen Sie die Lücken. Lesen Sie dann laut.

1. Gle__ __ __ __er	Gle__ __ __ __e__ __ __erben
2. Ste__ __ __ose	fu__ __ __esteuerte Ste__ __ __ose
3. Umwe__ __ __ __ __ __utz	Umwe__ __ __ __ __ __u__ __ __ __ __uppe
4. Zu__ __ __itze	Zu__ __ __i__ __ __ahn
5. Winte__ __ __ort	Winterspo__ __or__
6. Na__u__schu __ __	Na__ u__ schu __ __proje__ __

c) Sammeln Sie weitere Wörter mit vielen Konsonanten aus der Einheit. Diktieren Sie Ihrem Nachbarn/Ihrer Nachbarin mindestens drei Wörter. Korrigieren Sie sich gegenseitig.

Wem gefällt es?

10 **Arbeiten an der Zugspitze.**

a) Sehen Sie sich das Bild an.
Was ist das? Was machen die Leute auf dem Bild und wozu machen Sie es?

b) Lesen Sie den Zeitungsartikel und beantworten Sie die Fragen aus a).

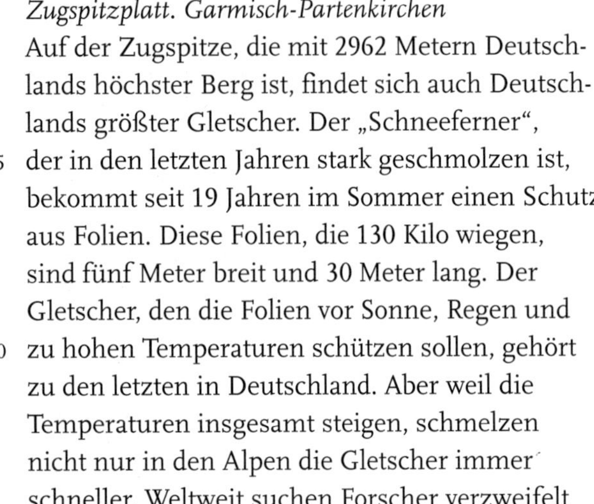

Zugspitzplatt. Garmisch-Partenkirchen
Auf der Zugspitze, die mit 2962 Metern Deutschlands höchster Berg ist, findet sich auch Deutschlands größter Gletscher. Der „Schneeferner“, der in den letzten Jahren stark geschmolzen ist, bekommt seit 19 Jahren im Sommer einen Schutz aus Folien. Diese Folien, die 130 Kilo wiegen, sind fünf Meter breit und 30 Meter lang. Der Gletscher, den die Folien vor Sonne, Regen und zu hohen Temperaturen schützen sollen, gehört zu den letzten in Deutschland. Aber weil die Temperaturen insgesamt steigen, schmelzen nicht nur in den Alpen die Gletscher immer schneller. Weltweit suchen Forscher verzweifelt nach einer Lösung, um den Gletscherrückgang zu stoppen.
Die Arbeiter auf der Zugspitze machen jetzt den Gletscher, der in diesem Jahr zwei Meter weniger Schnee als normalerweise hat, mit 800 Quadratmeter Folie sommerfest. „Es läuft gut. Die Arbeiten gehen bereits dem Ende zu“, sagt Martin Hurm von der Bayerischen Zugspitz-Bergbahn AG. Die Mitarbeiter decken den Gletscher aber nicht nur aus Naturschutzgründen ab. Es geht auch um wirtschaftliche Interessen. Schließlich besuchen viele Touristen das Zugspitzplatt, das von Oktober bis Mai ein sehr beliebtes Skigebiet ist.

11 **Wie reagieren Anwohner und Touristen auf die Maßnahme?**

20 **a) Unsere Reporterin hat sie befragt. Hören Sie und kreuzen Sie an:**
Wie viele sind für und wie viele sind gegen die Abdeckung?

1. ☐ Einer ist dafür und vier sind dagegen.
2. ☐ Zwei sind dafür und drei sind dagegen.
3. ☐ Drei sind dafür und zwei dagegen.

b) Lesen Sie die Aussagen und verbinden Sie sie. Vergleichen Sie mit Ihrer Kursnachbarin/Ihrem Kursnachbarn.

1. Martin Nabert ist der Skifahrer,
2. Sepp und Gerti Obermaier sind Bauern,
3. Louisa ist das Mädchen,
4. Silke Eichhorn ist die Mutter,

a) der die Gletscherabdeckung nicht reicht. Sie findet man muss den Klimawandel stoppen.
b) dem die Idee gefällt. Denn es hat Angst, dass es in ein paar Jahren überhaupt keinen Schnee mehr gibt.
c) dem die Idee gut gefällt. Er hofft, so länger Skifahren zu können.
d) denen die Idee nicht gefällt. Sie finden, man sollte mit der Natur leben und sie nicht verändern.

12 **Wissen Sie es noch? Relativsätze.**
a) Unterstreichen Sie im Artikel auf Seite 40 alle Relativsätze.

b) Dativ. Lesen Sie noch einmal die Antworten in Aufgabe 11 b), markieren Sie das Relativpronomen und ergänzen Sie die Pronomen.

Relativpronomen im Dativ:

1. der Skifahrer , ______________ die Idee gefällt
2. das Mädchen , ______________ die Idee gefällt
3. die Mutter , ______________ die Gletscherabdeckung nicht reicht
4. die Bauern , ______________ die Idee nicht gefällt

Wissen Sie es noch?
*Der **Relativsatz** ist ein Nebensatz, der mit einem Relativpronomen beginnt.*

Relativpronomen im Nominativ
der / das / die

Relativpronomen im Akkusativ
Der** Mann, **den
Das** Kind, **das } *wir suchen*
Die** Frau, **die

13 **Relativsätze mit Präpositionen.**
a) Lesen Sie den Text und unterstreichen Sie wie im Beispiel.

Martin Nabert, mit dem sich der Reporter unterhalten hat, ist ein großer Wintersportfan. In der Stadt, in der er wohnt, gibt es keine Berge. Die Winterferien, auf die er sich immer sehr freut, verbringt er in Garmisch-Partenkirchen. Die Gletscherabdeckung, von der er im Radio gehört hat, findet er gut, weil er noch lange auf der Zugspitze Ski fahren möchte.

b) Wo steht die Präposition? Ergänzen Sie den Satz rechts.

Relativsätze mit Präpositionen
Die Präposition hängt vom Verb ab:
*sich unterhalten **mit** + Dativ*
*wohnen **in** + Dativ*
*sich freuen **auf** + Akkusativ*
*hören **von** + Dativ*

Die Präposition steht ? dem Relativpronomen.

14 **Ergänzen Sie die Relativpronomen.**

Umweltschützer, die [1] sich für den Klimaschutz engagieren, haben gestern gegen die Gletscherabdeckung auf der Zugspitze protestiert. Die Gletscherabdeckung, von der [2] man im Moment viel in den Medien hört, finden die Umweltschützer Unsinn. Mit Plakaten, auf ~~die~~ denen [3] sie Maßnahmen gegen den Klimawandel forderten, standen sie auf der Zugspitze, die [4] der höchste Berg in Deutschland ist.

15 **Gletscherabdeckung – Was meinen Sie?**
a) Schreiben Sie Ihre Meinung in einem Satz.

Ich finde die Idee gut, weil ... / Das ist doch Unsinn. / Ich bin der Meinung, dass ... / Meiner Meinung nach ist das (k)eine gute Idee, weil ... / Ich weiß nicht so genau, ob ... / Ich finde ...

b) Jede/r sagt seinen/ihren Satz. Ähnliche oder gleiche Meinungen stellen sich zusammen. Wie ist das Meinungsbild im Kurs?

pro	kontra	weiß nicht

Alle zusammen

16 **Projekt: Eine Umwelt- oder Naturschutzorganisation vorstellen.**
a) Recherchieren Sie.

1. Was ist das für eine Organisation?
2. Welche Ziele hat sie?
3. Welche Aktionen gibt es?

Bund für Umwelt und Naturschutz Deutschland
BUND
FREUNDE DER ERDE

b) Machen Sie ein Plakat.

c) Präsentieren Sie Ihre Organisation im Kurs.

Das ist eine internationale/nationale Organisation. / Sie ist aktiv in ...
Die Organisation/Die Gruppe möchte die Natur in ... schützen / auf Umweltprobleme hinweisen / Kinder für die Natur begeistern / über Möglichkeiten zum Energiesparen/Wassersparen/... informieren /
Projekte in anderen Ländern unterstützen / aktiv das Klima schützen ...
Es gibt regelmäßig/wöchentlich/monatlich/jährlich folgende Aktionen: Demonstration/Unterschriftensammlung für/gegen ... / Versammlungen ... / einen Infostand in ... / ...

17 **Relativsatzketten.**
a) Arbeiten Sie zu zweit. A würfelt und erklärt das Wort.

die Heldin ⚀

der Wind ⚁

die Glühbirne ⚂

der Skifahrer ⚃

die Steckdose ⚄

das Auto ⚅

Beispiel: die Heldin

b) B ergänzt einen zweiten Relativsatz mit Präposition. Danach würfeln Sie ein neues Wort.

aus • bei • mit • von • zu

c) Wählen Sie Ihre Lieblingssätze aus und lesen Sie diese im Kurs vor. Die anderen raten das Wort.

Das ist eine Frau, die die Welt rettet und von der ich schon viel gehört habe.

Wasser
H_2O

Meerwasser
Süßwasser Salzwasser
Leitungswasser Mineralwasser
Abwasser Hundertwasser
Regenwasser Trinkwasser
Hochwasser Warmwasser
Grundwasser Schmelzwasser
Quellwasser

Ist Wasser aus der Flasche eigentlich besser als Leitungswasser?

In den USA bekommt der Gast im Restaurant automatisch ein großes Glas Wasser und auch in einem Wiener Kaffeehaus gehört das Gläschen Leitungswasser zu jedem Kaffee dazu. Die Deutschen schätzen ihr Leitungswasser nicht so hoch ein. Eine Flüssigkeit, die literweise durch Waschmaschine und Toilettenspülung rauscht, kann schließlich nicht gut genug zum Trinken sein? Falsch! Deutsches Leitungswasser hat nicht nur eine Topqualität, es schmeckt auch gut und man kann es sogar für Babynahrung benutzen. Trotzdem haben die Leute lieber Mineralwasser auf dem Tisch. Im europäischen Vergleich konsumieren nur die Italiener mehr Wasser aus der Flasche.

Rheinfall von Schaffhausen: Europas größter Wasserfall

Rheinfall (schweizerdeutsch: *Rhyfall* ['ri:fal])
Dieser Wasserfall befindet sich in der Schweiz an der Grenze zwischen dem Kanton Schaffhausen und dem Kanton Zürich. Aus 23 Metern Höhe stürzt der Rhein, der hier vom Bodensee kommt, auf einer Breite von 150 Metern über die Felsen. Circa 750 Kubikmeter (m^3) Wasser pro Sekunde fließen den Wasserfall hinunter.

Sprüche aus aller Welt

Schimpfe nicht mit dem Fluss,
wenn du ins Wasser fällst.
Indien

In Träumen, Spiegeln und im Wasser
treffen sich Himmel und Erde.
China

Stille Wasser sind tief.
Deutschland

Steter Tropfen höhlt den Stein.
Griechenland

Ich kann ...

über Klima und Wetter sprechen

Die Temperaturen steigen. / Stimmt, das Klima wird immer extremer.
Bei uns sind die Sommer / die Winter sehr heiß/warm/kalt/...
Es regnet (zu) oft/selten. / Alles ist sehr trocken/grün.
Es gibt viel Sonne/Regen/Schnee ...
In Deutschland/Österreich/der Schweiz kann es sehr kalt/heiß werden, oder?

über Klimaschutz und Umweltprobleme sprechen

Umweltschutz reicht nicht, um den Klimawandel zu stoppen.
Die Wüsten wachsen, Wasser wird ein großes Thema. Der Klimawandel macht mir Sorgen.
Wir müssen etwas ändern, aber was? Wir verbrauchen zu viel Energie. / Wir produzieren zu viel Müll. / Ich schließe mich einer Umweltschutzgruppe an. Die Gruppe organisiert regelmäßig Demonstrationen/Infoveranstaltungen/Unterschriftensammlungen/...

Ich kenne ...

Nebensätze mit *um ... zu* + Infinitiv

Hauptsatz	*Nebensatz*
Ich fahre weniger Auto,	um die Umwelt zu schützen.
Nebensatz	*Hauptsatz*
Um die Umwelt zu schützen,	fahre ich weniger Auto.
Um ein**zu**kaufen,	nehme ich das Fahrrad.

Regel: Wenn ein Satz zwei verschiedene Subjekte hat, funktioniert nur *damit.*
Ich brauche das Auto, damit die Kinder in die Schule kommen.

Relativsätze im Dativ ...

Das ist der Skifahrer, dem die Idee gefällt.
Das ist das Mädchen, dem die Idee gefällt.
Das ist die Mutter, der die Gletscherabdeckung nicht reicht.
Das sind die Bauern, denen die Idee nicht gefällt.

... und mit Präposition

Der Reporter, mit dem wir gesprochen haben, ist vom Zürcher Tagblatt.
Hast du das Plakat, auf dem unser Protest steht, mitgenommen?
Die Stadt, in der er wohnt, hat keine Berge in der Nähe.
Er freut sich auf die Winterferien, in denen er immer Ski fährt.

Tipp
Benutzen Sie die Checkliste.
14

Teil 4

21

Thomas Müller bezahlt den Kaffee. Schade, er hätte gern die Frühlingssonne noch ein wenig genossen. Er ist gespannt, so langsam gefällt ihm der neue Fall. Was Herr Kosch ihm wohl gleich zu sagen hat? Sein Kollege Peikert ist müde. Der Arbeitstag war lang und zu Hause warten seine Frau und seine Kinder auf ihn. Er würde sie gern noch sehen. „Meinst du, wir müssen beide mit Kosch reden?", fragt er vorsichtig. „Nö, das schaff' ich schon alleine. Geh du nur ruhig nach Hause, du hast heute schon genug gemacht." „Na dann, danke und bis morgen früh." „Tschüss und grüß Katrin und die Kinder von mir." „Mach' ich."

Kommissar Müller geht in die Bettinastraße 12 zurück und klingelt bei Robert und Silke Kosch. Die Wohnungstür öffnet sich und vor ihm steht ein ungefähr 40 Jahre alter, etwas dicker Mann.

„Kommissar Müller?" „Ja, das bin ich und Sie sind Robert Kosch?" „Genau, schön, dass Sie sofort Zeit für mich haben. Kommen Sie doch rein." Sie gehen ins Wohnzimmer und setzen sich. „Also, wie schon gesagt, Stefan Hildmann und Jutta Schäfer hatten einen heftigen[1] Streit. Herr Hildmann war bei Greenpeace aktiv. Er engagierte sich sehr für Umweltprojekte, verteilte auch oft Flugblätter[2] im Haus. Aber vor ein paar Wochen ging es wirklich zu weit: Stefan kam abends von einer Demo zurück und wir sprachen kurz miteinander. Da kam auch Frau Schäfer nach Hause und als sie Stefan Hildmann sah, fing sie an zu schimpfen. Sie schrie und drohte[3] ihm sogar." „Und wie ging es dann weiter?" fragt Thomas Müller, der die ganze Zeit interessiert zugehört hat. „Nun ja, ich bin in meine Wohnung gegangen und die beiden haben noch eine Weile laut gestritten. Mehr kann ich Ihnen auch nicht sagen. Komischer Typ, dieser Stefan Hildmann. Aber traurig ist das Ganze schon. Er machte gerade seinen Master[4] in Umweltwissenschaften." „Ja, Herr Kosch, vielen Dank, Sie haben uns sehr geholfen. Aber eine letzte Frage habe ich noch: Wo waren Sie und Ihre Frau heute Nacht?" Bei dieser Frage wird Robert Kosch rot, langsam antwortet er: „Meine Frau und ich sind erst früh am Morgen zurückgekommen, so gegen 2:30 Uhr. Wir waren auf einer Party und haben ziemlich lange gefeiert." „Mmh, und heute Morgen, wann sind Sie zur Arbeit gegangen?" „So kurz nach sieben." Er muss gähnen[5] und Thomas Müller verabschiedet sich, „Na, dann geh ich mal. Wenn Ihnen noch etwas einfällt, können Sie sich ja bei mir melden. Auf Wiedersehen und vielen Dank für das Gespräch!"

Müde verlässt er das Haus, der Tag war wirklich lang. Er steigt in sein Auto, um endlich nach Hause zu fahren. Hoffentlich ist kein Stau auf der Miquelallee in Richtung Eschborn, denkt er, aber er hat Glück.

Als er gerade auf die A66 fährt, klingelt sein Handy. „Ach, du bist's. Lutz. Alles klar? – Nein, immer noch keine heiße Spur, die Nachbarn haben wir heute alle befragt. Und du, gibt es etwas Neues? – Nur ein Stich?– Fingerabdrücke, blonde Frauenhaare. Keine Waffe[6] am Tatort, mh. Ist das alles? - Ja, gut, dann erstmal vielen Dank! Ich melde mich morgen wieder, tschüss."

Ich muss unbedingt mit Jutta Schäfer sprechen, denkt er, aber ihr Handy ist immer noch aus.

1 heftig = schlimm, laut
2 das Flublatt: Flyer mit Infos
3 jdm drohen: sagen, dass man etwas gegen jemanden tut, wenn ...
4 der Master: ein Universitätsabschluss
5 gähnen: der Mund geht auf, wenn man müde ist
6 die Waffe: Damit kann man jemanden verletzen (z.B. ein Messer)

1. Was bisher geschah. (Kapitel 1, S. 15; 2, S. 25; 3, S. 45)
2. Was ist jetzt passiert? (Was? Wer? Wann ? Wo?)
3. Die Figuren: Robert Kosch. (Name, Alter, Aussehen ...) 

4. Telefonat: Zeile 51–57. Arbeiten Sie zu zweit. Was hat Lutz von der Spurensicherung gesagt?
5. Frage-Antwort-Bälle.

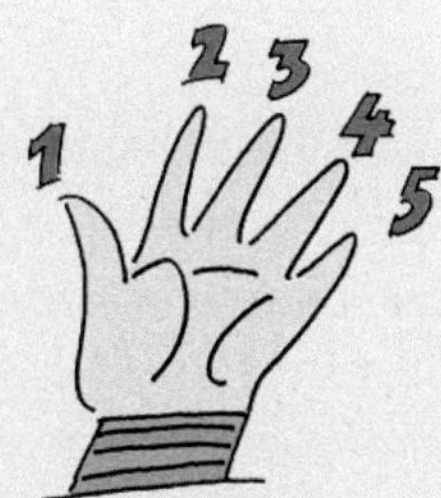

Kulturelles Leben

22

1 Hörbar. Was hören Sie? Kreuzen Sie an. Dann kommentieren Sie.

☐ Oper ☐ Kino ☐ Konzert ☐ Theater
☐ Buchmesse ☐ Musical ☐ Kunstausstellung

Ich gehe am liebsten ins Kino.

2 Heute machen wir was Schönes! Machen Sie ein Wörternetz zum Thema Kultur.

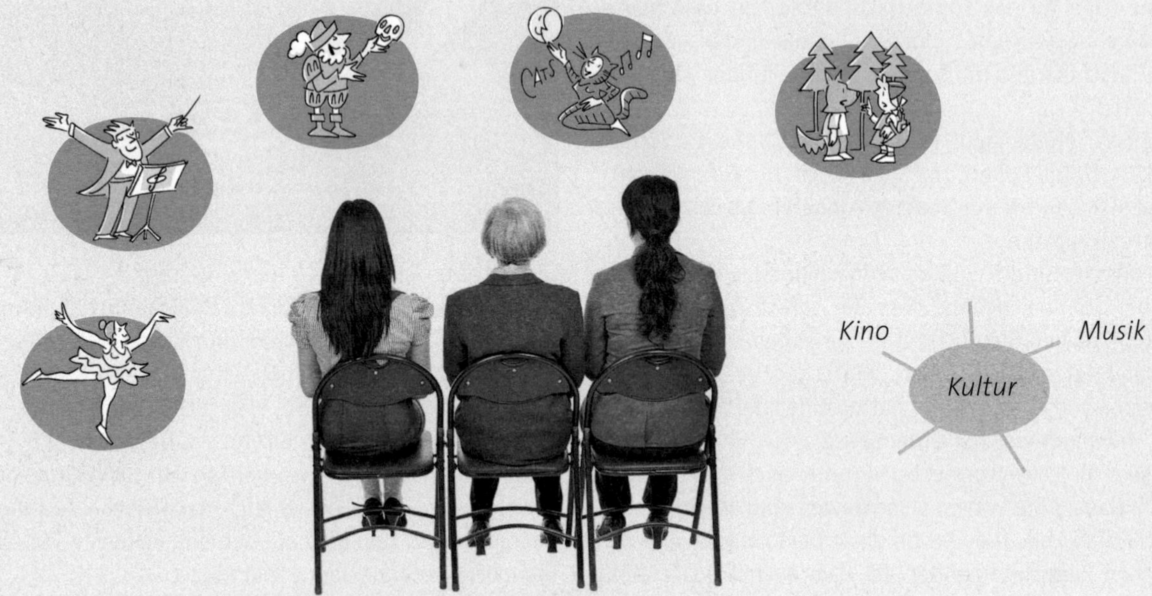

3 Wofür interessieren Sie sich? Bilden Sie 6er-Gruppen.
a) Schreiben Sie alle Namen auf ein Plakat. Fragen und antworten Sie.
Finden Sie mit jedem/jeder aus der Gruppe eine Gemeinsamkeit.
Verbinden Sie Ihre Namen mit einer Linie und schreiben Sie die Gemeinsamkeit auf die Linie.

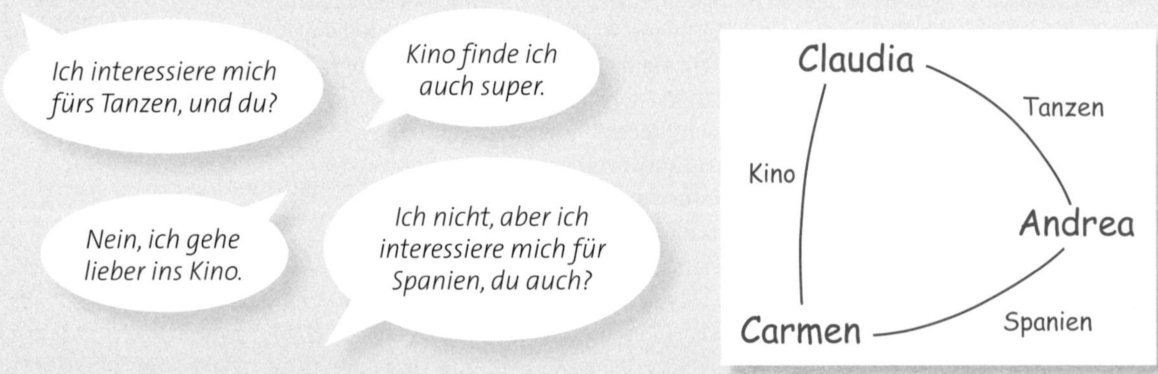

Ich interessiere mich fürs Tanzen, und du?
Kino finde ich auch super.
Nein, ich gehe lieber ins Kino.
Ich nicht, aber ich interessiere mich für Spanien, du auch?
Claudia
Tanzen
Kino
Andrea
Carmen
Spanien

b) Suchen Sie sich einen Partner/eine Partnerin und sprechen Sie zwei Minuten über Ihre Gemeinsamkeit.

Was für Bücher / Musik / Kinofilme liest / hörst / siehst du gern? Welche Ausstellung / welchen Film / welches Theaterstück hast du in letzter Zeit gesehen? Was für Ausflüge hast du gemacht? / Was hast du gesehen? / Warst du beim Sport?

4 **Veranstaltungen.**

a) Sehen Sie sich die Fotos an, überfliegen Sie die Artikel und ordnen Sie zu.

Die ganze Stadt eine Bühne – Ein Fest fürs Publikum

Salzburg. Auch in diesem Sommer bieten die Salzburger Festspiele den Besuchern, die sich für klassische Musik, Theater und Oper interessieren, wieder ein interessantes Programm an. Neben Mozarts Oper „Cosí fan tutte" steht auch Goethes „Faust" auf dem Spielplan. Besonders interessant sind auch die Festspiel-Dialoge. Seit 1994 haben die Besucher die Gelegenheit, mit den Künstlern über ihre Werke zu sprechen. Der Höhepunkt aber ist wie immer die Festspieleröffnung. Bei freiem Eintritt kann man auf vielen Bühnen in der ganzen Stadt Kultur live erleben. ☐

A

3 Tage Rock ohne Ende

Eifel – Nürburgring. Wie jedes Jahr freuen sich auch in diesem Sommer wieder viele Rockfans auf die zahlreichen Musikfestivals. Das bekannteste Rockfestival in Deutschland ist „Rock am Ring". Die Veranstalter erwarten zehntausende Besucher, die mit Zelt und Schlafsack anreisen, um auf dem Nürburgring zu campen. Denn beim Rock am Ring feiern die Bands mit ihren Fans drei Tage lang eine Riesenparty. Viele kommen deshalb jedes Jahr wieder. ☐

B

Immer wieder großes Kino und viele Stars

Berlin. Auch in diesem Jahr feiert die Hauptstadt wieder die Berlinale. Sie gehört zu den wichtigsten internationalen Filmfestspielen. An dem weltweit größten Publikumsfestival nehmen viele internationale Filmstars und Regisseure teil. Die Fans warten oft stundenlang auf die Stars, um sie wenigstens einen kurzen Augenblick zu sehen oder ein Foto von ihnen zu machen. In dieser Zeit redet man in Berlin viel über Schauspieler und wenig über Politiker. Am Ende können die Filme, die an dem Wettbewerb teilgenommen haben, in verschieden Kategorien einen „Goldenen Bären" gewinnen. ☐

C

b) Wählen Sie A oder B. Lesen Sie die Texte und beantworten Sie Ihre Fragen.

Fragen A	Fragen B
1. Wofür interessieren sich die Festspiel-Besucher in Salzburg?	1. Worüber sprechen die Künstler bei den Festspiel-Dialogen?
2. Worauf freuen sich viele Rockfans jedes Jahr?	2. Womit reisen die Besucher zum Nürburgring?
3. Mit wem feiern die Bands eine Riesenparty?	3. Wozu gehört die Berlinale?
4. Woran nehmen Filmstars und Regisseure teil?	4. Über wen redet man in Berlin weniger, wenn Berlinale ist?
5. Auf wen warten die Fans am roten Teppich?	5. Von wem machen die Fans in Berlin ein Foto?

c) A + B gehen zusammen. Fragen Sie ihre/n Partner/in die Fragen, die Sie nicht hatten.

5 **Fragen mit Präpositionen. Person oder Sache?**
a) Markieren Sie die Fragewörter in 4 b) wie im Beispiel. Ergänzen Sie die Regel rechts.

Wofür interessieren sich die Fest-spiel-Besucher in Salzburg?

Auf wen warten die Besucher am roten Teppich?

So geht's
Mit wo + (r) + *Präposition fragt man nach einer* ________________.
Mit Präp. + wen/wem *fragt man nach einer* ________________.

b) Schreiben Sie alle Verben mit Präpositionen aus a) auf Kärtchen.

(Vorderseite)	(Rückseite)
sich interessieren	*für + Akk*

Tipp
Das r *vor Vokal und Umlaut!*

c) Üben Sie: Nehmen Sie ein Kärtchen und stellen Sie eine Frage. Ihr/e Partner/in antwortet, nimmt das nächste Kärtchen und fragt Sie.

Worauf wartest du?

Ich warte auf den Bus. Mit wem triffst du dich?

Schon fertig?
Schreiben Sie mit den Verben einen kurzen Dialog.

telefonieren mit • sprechen über • sich verabreden zu • sich freuen auf

6 **Ich freue mich darauf! Lesen Sie die Sätze und unterstreichen Sie wie im Beispiel. Dann ergänzen Sie die Regel rechts.**

- Sag mal, freust du dich auf den Geburtstag von Tim?
  - Na klar, freue ich mich darauf.
- Hast du schon von seinen Plänen gehört?
  - Nein, davon habe ich noch nichts gehört.
- Er denkt an einen Theaterbesuch.
  - Daran hätte ich nie gedacht. Tolle Idee.
- Hast du schon mit Petra gesprochen? Kommt Sie mit?
  - Ja, ich habe mit ihr gesprochen, aber sie hat keine Zeit.

Pronominaladverbien
sind Verbindungen aus:
wo + (r) + Präposition (bei Fragen)
da + (r) + Präposition (bei Aussagen)

Man verwendet sie nur bei Sachen.
Bei Personen verwendet man Präposition + ________________.

7 **Fragen und antworten Sie wie im Beispiel. Variieren Sie.**

1. Hast du schon mit deiner Mutter gesprochen?
2. Hast du von mir geträumt?
3. Hast du schon etwas über den Film gelesen?
4. Bist du schon mit dem neuen Auto gefahren?
5. Hast du schon von Petras Unfall gehört?
6. Hast du dich um die Getränke gekümmert?

Hast du an die Karten gedacht?

Natürlich habe ich daran gedacht!

8 Ich freue mich darauf, dass ...

a) Lesen Sie und schreiben Sie Sätze wie im Beispiel.

Pronominaladverbien können auch auf einen Nebensatz hinweisen.

Ich freue mich darauf, dass wir am Samstag ins Theater gehen.
Tim ärgert sich darüber, dass er keine Karten mehr bekommen hat.

1. Aber Claudia erinnert sich.	Woran?	Es gibt noch Karten im Internet.
2. Tim wartet ungeduldig.	Worauf?	Claudia ruft ihn an.
3. Sie sprechen eine Stunde lang.	Worüber?	Die Karten sind zu teuer.
4. Am Ende einigen sie sich.	Worauf?	Alle gehen zusammen essen.
5. Tim hat sich sehr gefreut.	Worüber?	Claudia hat ihm geholfen.

b) Die *dass*-Kette. Jede/r im Kurs ergänzt einen Satzanfang.

Ich freue mich darauf, dass ...

Ich träume davon, dass ...

Ich habe mich darüber geärgert, dass ...

Wir müssen darüber sprechen, dass ...

9 Fragen und Antworten brummen.

23

a) Welche Frage oder Antwort hören Sie gebrummt? Kreuzen Sie an.

1. Wovon träumst du? →	☐	Von meinem Urlaub. ↘	☐
2. Wofür engagierst du dich?	☐	Für Umweltschutz.	☐
3. Mit wem hast du dich gestern getroffen?	☐	Mit Peter.	☐
4. Über wen hast du dich geärgert?	☐	Über meinen aggressiven Chef.	☐
5. Mit wem verstehst du dich am besten?	☐	Mit meinem Freund.	☐
6. Bei wem bedankst du dich?	☐	Bei meiner großen Schwester.	☐

b) Brummen Sie zusammen die Fragen und Antworten.

c) Wählen Sie eine Frage aus a). Brummen Sie Ihre Frage und gehen Sie durch den Kursraum. Wer hat die gleiche Frage wie Sie?

Raus mit der Sprache. Wählen Sie drei aktuelle Themen, über die Sie morgen im Kurs kurz sprechen möchten. Informationen finden Sie in einer Zeitung, im Internet, Fernsehen oder Radio.

Was ist passiert? Wann? Warum? Wo?

Ich habe eine Nachricht zum Thema Sport / Politik / Stars / Kino ...
Gestern / Letzte Woche ...
In Berlin / Tokio / Brasilien ...
Bei der Weltmeisterschaft in ...

Tipp

Viele Nachrichten kommen weltweit vor. Hören oder lesen Sie erst die Nachrichten in Ihrer Muttersprache und dann auf Deutsch, dann ist das Verstehen leichter.

Nachrichtenwelten

Tagesprogramm | Highlights | Sporthöhepunkte am 02. 06.

Tennis – French Open

Bei den French Open in Paris kämpfen die Frauen um den Einzug ins Finale.

11.06.2011 | MILLIONENSCHWER

Trouble – der reichste Hund der Welt ist tot

Das Hündchen der Immobilienkönigin Leona Helmsley war verwöhnt – und erbte Millionen. Nun ist Trouble im Alter von 84 Hundejahren in einem Luxushotel gestorben.

10 Wovon berichten Nachrichten?

a) Lesen Sie die Wortschlange und finden Sie Rubriken.

WohnungPolitikZahnbürsteKulturFlascheMitternachtWirtschaftOrdner
KatastrophenQuittungKinofilmeLauneGeruchWetterBürsteTechnik
ErlebnisWissenschaftKaminVermischtesBademantelSportFachSternBoden

b) Welche Rubrik finden Sie am spannendsten? Berichten Sie.

Ich interessiere mich für ... Deshalb lese/schaue ich zuerst in ...
Ich höre nur die ... / Ich möchte wissen, was in der Welt / in der Politik/im Sport / ... passiert.
Ich lese im Internet am liebsten verschiedene Newsticker. / Im Fernsehen ...

11 Wie informieren Sie sich über aktuelle Nachrichten? Wie oft informieren Sie sich?

Ich lese viel Zeitung.

Ich informiere mich täglich im Internet.

Ich höre jeden Morgen die Nachrichten im Radio.

Ich sehe selten Nachrichten. Sie sind langweilig.

einmal am Tag
täglich
mehrmals am Tag / in der Woc
selten
häufig
oft
immer

12 Nachrichten. Arbeiten Sie in 3er-Gruppen. Worüber spricht man im Augenblick in den Nachrichten? Nennen Sie Themen.

In der Formel 1 hat ein Brite gewonnen.

Frankreich hat gewählt.

Gestern gab es auf der A1 einen großen Unfall mit vielen Verletzten ...

13 Radionachrichten – Hörtraining.

a) Die Themen haben meist eine ähnliche Reihenfolge. Was glauben Sie? Ordnen Sie.

- ☐ Wetterbericht
- ☐ wichtigste Nachricht
- ☐ Sport
- ☐ Verkehrsinformationen
- ☐ andere Nachrichten

b) Wie hören Sie in Ihrer Muttersprache Nachrichten? Kreuzen Sie an.

	stimmt	stimmt nicht
1. Wenn ich ein Wort nicht verstanden habe, verstehe ich die ganzen Nachrichten nicht.	☐	☐
2. Ich möchte nur wissen, ob meine Fußballmannschaft gewonnen hat, und weiß nachher nicht, was sonst noch passiert ist.	☐	☐
3. Viele Neuigkeiten kenne ich schon, weil sie auch schon gestern in den Nachrichten waren oder ich sie schon im Internet gelesen habe.	☐	☐
4. Wenn ich wissen will, ob es auf meinem Weg zur Arbeit viel Verkehr gibt, höre ich nur auf die Verkehrsinformationen, die für meinen Weg wichtig sind.	☐	☐

24

c) Eine Nachrichtensendung im Radio. Lesen Sie. Hören Sie einmal und kreuzen Sie an, welche Themen vorkommen.

1. ☐ Konferenz zum Klimaschutz
2. ☐ Panne beim Abitur
3. ☐ Raumfähre „Endeavour" zurück
4. ☐ Cebit in Hannover eröffnet
5. ☐ Trockenheit – deutsche Bauern verzweifelt
6. ☐ Neuer geht zum 1. FC Bayern München
7. ☐ Es bleibt sonnig und trocken

d) Vergleichen Sie die Reihenfolge mit Ihrer Vermutung in a).

e) Lesen Sie die Aussagen. Hören Sie dann die Nachrichten noch einmal. Richtig oder falsch? Kreuzen Sie an.

	richtig	falsch
1. In Brasilien treffen sich Politiker aus 40 Großstädten, um über den Klimaschutz zu reden.	☐	☐
2. In Deutschland müssen alle Schüler das Abitur in allen Fächern wiederholen.	☐	☐
3. Die Raumfähre Endeavour ist zurück auf die Erde gekommen. Es war ihr letzter Flug.	☐	☐
4. Neuer hat bei Eintracht Frankfurt gespielt.	☐	☐
5. Wenn man nicht im Süden wohnt, kann man am Wochenende ein Picknick machen. Das Wetter wird gut.	☐	☐

Alle zusammen

14 **Rollenspiel: Unser Kurs aktuell. Wir machen eine Nachrichtensendung! Arbeiten Sie in Gruppen.**
a) Wählen Sie einen Ort (für die Reporter/innen) und ein Thema aus.

Orte: meine Küche / mein Wohnzimmer zu Hause, die Cafeteria, der Sportplatz, die Straße vor der Sprachschule, ...
Themen: Familie, Katastrophen, Lernerfolge, wichtige Treffen, Neues vom Lehrer / von der Lehrerin, Sport, Wetter, ...

b) Verteilen Sie die Rollen: Nachrichtensprecher/in, Reporter/in, der Interviewpartner/in und Wetterexperte/expertin.

Guten Abend, meine Damen und Herren.
Unsere Themen heute ...
Unser/e Reporter/in berichtet live aus ...
Gibt es schon etwas Neues?
Vielen Dank nach ... und passen Sie auf sich auf

Wir berichten von ... / aus ...
Neben mir steht der Sieger/die Siegerin / von ...,
wie fühlen Sie sich jetzt?
Ich gebe zurück ins Studio.

Wir machen uns große Sorgen in ...
Die Lage ist ernst.
Die Leute hier brauchen dringend.
Sie haben ... / Das ist toll/super/...

Heute ist das Wetter ...
Morgen Vormittag ...
Die weiteren Aussichten ...

c) Bereiten Sie die Nachrichtensendung vor. Die Sprechblasen helfen.

d) Präsentieren Sie Ihre Sendung im Kurs. Dann wählen Sie die lustigste Nachricht.

15 **Projekt. Berühmte Personen.**
a) Bringen Sie verschiedene Zeitungen / Zeitschriften mit in den Kurs.

b) Bilden Sie 4er-Gruppen. Jede Gruppe arbeitet mit einer Zeitung. Suchen Sie berühmte Personen (Politiker – Sportler – Stars) und machen Sie ein Plakat.

Wer? – Wo? – Was? – Wann?

c) Präsentieren Sie eine Person von Ihrem Plakat im Kurs.

Spiegel

Was ist das?

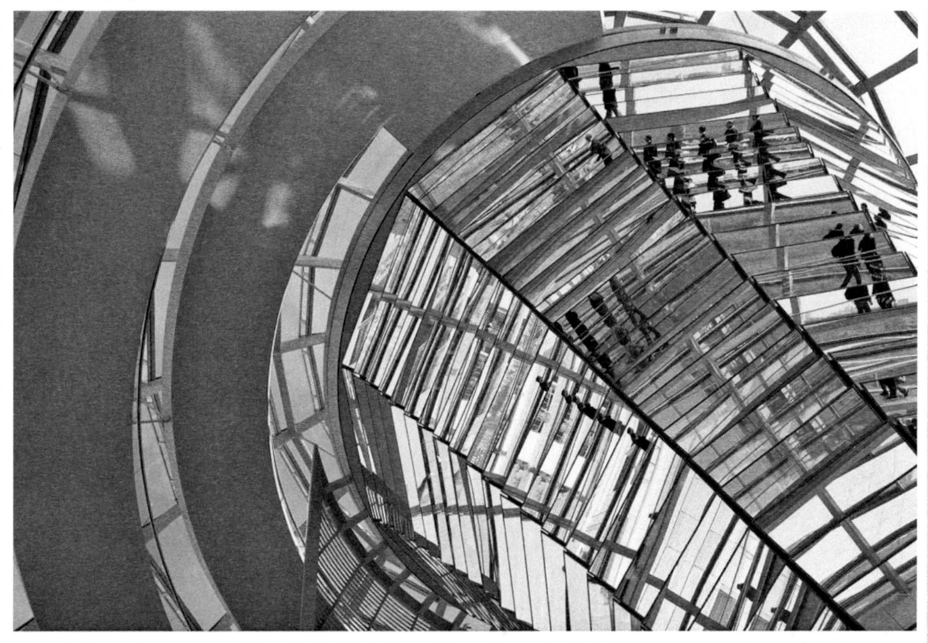

Tipp: Sie finden es in Berlin.

Nehmen Sie einen Spiegel und lesen Sie.

Der Spiegel ist ein Nachrichtenmagazin, das immer montags erscheint. Den Spiegel gibt es auch online. Pro Woche erscheinen über 960 000 Exemplare. Das Magazin gibt es seit 1947. Es informiert über Politik, Kultur, Sport, Wissenschaft und Wirtschaft. Seit 1990 gibt es auch Spiegel TV. Das Magazin produziert Dokumentationen und Reportagen. Insgesamt gibt es so circa 1000 Fernsehminuten pro Woche.

Palindrome

AN
OT
NEN
NEF
RET

Halten Sie einen Spiegel an die Linie. Was passiert?

Spiegelsprüche

Ein Tag ohne Lächeln ist ein verlorener Tag.

Ein Freund ist jemand, der weiß,
dass man ihn gerade braucht.
Oscar Wilde

Ich kann ...

über Veranstaltungen und meine Interessen sprechen

Ich interessiere mich für Bücher, und du? — Ich nicht. Aber ich interessiere mich für Musik / Sport / Kunst / ..., du auch?
Nein, ich gehe lieber ins Kino. — Kino finde ich auch gut.
Was für Bücher/Musik/Kinofilme liest/hörst/siehst du gerne?
Welches Buch / Welche Ausstellung / welchen Film hast du in letzter Zeit gelesen/gesehen?
Warst du in .../bei ...? Was hast du gesehen?
Ich lese viel Zeitung / sehr gern Romane.

über aktuelle Nachrichten sprechen

Ich habe eine Nachricht zum Thema Sport/Politik/Stars/Kino ... gehört, die ...
Gestern gab es auf der A1 einen großen Unfall mit vielen Verletzten.
Frankreich hat gewählt.
In der Formel 1 hat ein Deutscher gewonnen.

Ich kenne ...

Tipp
Das r kommt vor Vokalen und Umlauten: ***darüber****, aber* ***damit***

Pronominaladverbien: woran? – daran, worauf? – darauf, ...

bei Fragen: wo + (r) + Präposition:
Wofür interessieren sich die Besucher in Salzburg? — Für Musik und Theater.
Worauf freuen sich auch diesen Sommer die Rockfans? — Auf die vielen Festivals.
Wozu gehört die Berlinale? — Zu den wichtigsten Filmfestivals.

Man verwendet sie nur bei Sachen. Bei Personen verwendet man Personalpronomen:
Auf wen warten die Fans? — Sie warten auf die Stars. Sie warten sogar stundenlang auf sie.

bei Aussagen: da + (r) + Präposition:
Ich freue mich auf das Konzert. — Ich freue mich sogar sehr darauf.

Hast du schon von seinen Plänen gehört? — Nein, davon habe ich noch nichts gehört.

Pronominaladverbien vor *dass*-Sätzen

Ich freue mich darauf, dass wir am Samstag ins Theater gehen.
Er ärgert sich darüber, dass er keine Karten mehr bekommen hat.

Intonation von Fragen und Antworten

Wovon träumst du? →
Von meinem Urlaub. ↘

Tipp
Benutzen Sie die Checkliste.
14

Teil 5

25

Der Wecker klingelt, noch völlig verschlafen steht Kommissar Müller auf. In der Küche stellt er seine Kaffeemaschine an, denn ohne einen guten Milchkaffee kann sein Tag nicht starten. Er schaltet das Radio ein, geht zur Haustür und holt die Zeitung aus seinem Briefkasten. Zurück in der Küche schlägt er sie auf: Natürlich berichten die Journalisten über den Mord in der Bettinastraße. „Junger Greenpeace-Aktivist erstochen", das ist die Schlagzeile in der Frankfurter Rundschau. Er liest weiter: „Gestern Morgen fanden Nachbarn im Frankfurter Westend die Leiche[1] von Stefan H. (30). Der junge Mann war als Aktivist bei der Frankfurter Greenpeace-Gruppe bekannt. Seit Jahren nahm er an Demonstrationen gegen den Klimawandel teil. Bei der Suche nach dem Mörder hat die Polizei bis jetzt noch keinen Verdächtigen[2]. Auch die Motive für die Tat sind noch nicht bekannt. Erst vor ein paar Wochen hatten Atomkraftbefürworter[3] ein anderes Greenpeace-Mitglied bei einem Streit schwer verletzt."

Müller legt die Zeitung weg, wieder einmal ärgert er sich über die Presse. Immer ziehen die Journalisten ihre eigenen Schlüsse[4] und zweifeln an der Polizei. Er geht ins Bad, duscht und rasiert sich; dann fährt er ins Polizeipräsidium. Uwe Peikert ist schon im Büro. „Morgen Thomas, ich habe Neuigkeiten von der Spurensicherung. Sie haben die Wohnung von Stefan Hildmann genauer untersucht. Irgendjemand war vor Hildmanns Tod zusammen mit ihm in der Wohnung, sein Schreibtisch ist chaotisch, überall liegen Zettel und Flyer von Greenpeace. Es sieht auch so aus, als hätte es einen furchtbaren Streit gegeben, eine Flasche liegt auf dem Boden, ein Bild ist kaputt." „Mmh, von dem Streit hat auch Robert Kosch berichtet. Haben sie sonst noch etwas gefunden?" „Oh ja in seinem Arbeitszimmer. Die gleichen blonden Frauenhaare, die auch an der Leiche waren." „Interessant. Gibt es auch schon Ergebnisse zur Untersuchung von Hildmanns Handy und seinem E-Mail Postfach?" „Nein, sie arbeiten noch daran. Erste Ergebnisse können Sie uns heute Mittag geben."

Zu dumm, dass sie immer noch nicht mit Jutta Schäfer gesprochen haben. Er versucht wieder einmal, sie auf ihrem Handy zu erreichen, aber es ist aus. Als er sein Handy weglegen will, sieht er, dass er eine SMS bekommen hat:

Jutta Schäfer, 33, ledig, Ingenieurin im Solar-Ingenieurbüro Sopho für Photovoltaik, seit einem Jahr Wohnsitz Bettinastraße 12, keine Vorstrafen. Gruß Klaus. „Hier lies mal", Thomas Müller zeigt Uwe Peikert die SMS. „Sieh mal", sagt er, „beide interessieren sich für Umweltschutz. Vielleicht wusste einer mehr als der andere." „Wie war denn dein Gespräch mit Kosch gestern Abend?" „Seltsamer Mensch, ich glaube, der weiß mehr, als er sagt und seine Frau hat er mir auch nicht vorgestellt. Auch hier brauchen wir auf alle Fälle noch ein paar Infos über das Ehepaar." Müller schreibt Klaus schnell eine SMS. Wenig später klingelt sein Handy. „Müller. – Ach, Frau Schäfer, endlich! Ist bei Ihnen alles in Ordnung?. – Mmh, verstehe, Sie hatten einen Termin, schade, dass wir uns nicht vorher sprechen konnten! – Ja, klar, lieber nicht am Telefon. Wann könnten wir uns denn treffen? – Heute Nachmittag um drei? Das passt gut. – Wo? Ich schlage das Café Siesmayer vor, da gibt es den besten Milchkaffee in der Stadt und wir können in Ruhe reden. – Ja, man kann dort auch etwas essen. Gut, dann bis um drei, tschüss."

1 die Leiche = der/die Tote
2 der/die Verdächtige: Person, die es getan haben könnte
3 der/die Befürworter/in: ist dafür
4 Schlüsse ziehen: behaupten, wie etwas ist oder war

1. Was bisher geschah. (Teil 1–4, S. 15, S. 25, S. 35, S. 45)
2. Was ist jetzt passiert? (Was? Wer? Wann ? Wo?)
3. Die Figuren: Jutta Schäfer. (Name, Alter, Beruf, Aussehen ...) 126
4. Telefonat, Zeile 54–62. Was hat Frau Schäfer gesagt?
5. Frage-Antwort-Bälle.

Gut essen

Lebensmittel

1 Der Frühstückstisch. Was für Menschen leben hier?
a) Machen Sie sich Notizen zu dem Foto. Dann sprechen Sie darüber.

Wann: Welcher Wochentag? – Wie spät? Stress?
Wer: Wie viele? – Berufstätig? – Achten sie auf Gesundheit? ...
5 Sinne: Es riecht nach ... / schmeckt ... / fühlt sich an wie ... / Man sieht/hört ...

[1] *das Müesli (CH)*

b) Und Sie? Vergleichen Sie.

Die trinken Tee. Ich brauche morgens einen Kaffee.

Ich esse am Morgen gar nichts.

Das ist typisch deutsch. Ich muss morgens etwas Warmes essen.

2 Wiederholung Lebensmittel.
a) Ordnen Sie die Lebensmittel auf dem Foto in die Tabelle.

Essen	Getränke	Obst/Gemüse	Mengen + Verpackungen
der Toast	*der Tee*	*der Apfel*	*eine Scheibe*

b) Sie kennen schon viele Lebensmittel.
Spielen Sie mit der Tabelle aus a) „Stadt-Land-Fluss."
So geht's: Eine/r sagt laut A und buchstabiert im Kopf weiter. Bei „Stopp!" sagt er/sie laut den Buchstaben, an den er/sie gerade denkt. Dann suchen alle Wörter mit diesem Buchstaben. Sie haben 30 Sekunden Zeit. Wer kennt die meisten Wörter?

Apfelkuchen	*Apfelsaft*	*Apfel*	*acht*

Ohne I, J, U, V, X und Y.

3 Wie ist was? Finden Sie ein Lebensmittel, das zum Adjektiv passt.

mild • bitter • sauer • scharf • weich • faul • roh • reif • fett • mager • eklig

der bittere Kaffee – der milde Saft

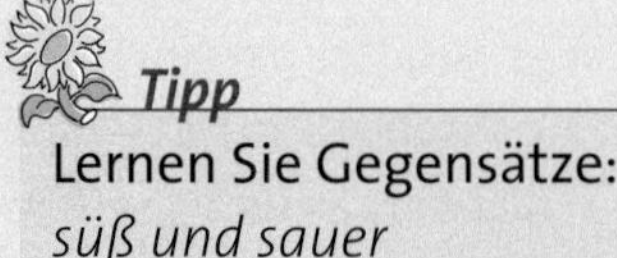

Tipp
Lernen Sie Gegensätze:
süß und sauer

4 **Das geheime Lebensmittellexikon.**
a) Lesen Sie die Texte. Welches Produkt passt zur Zutatenliste?

Bio-Säfte
Auf der Verpackung darf nur „Bio“ stehen, wenn die Zutaten zu mindestens 95 Prozent aus ökologischer Landwirtschaft kommen, also ohne Chemie produziert werden.

Fruchtjoghurts
Joghurt ist natürlich? Der Fruchtgeschmack im Joghurt ist oft nur Chemie: „Himbeeren“ werden zum Beispiel aus Bakterien auf Holzresten hergestellt. Das Aroma und die Farbstoffe kommen aus dem Labor: zum Beispiel E 100 bis E 110 für Gelb und E 120 bis E 124 für Rot.

Pizza
Das Beste an der Pizza ist der Käse. Aber oft ist das, was wie Käse aussieht, ein künstliches Produkt aus Wasser, Eiweiß und Pflanzenfett. Nur wenn auf der Zutatenliste „Käse“ steht, ist auch Käse drin. Auch der Schinken auf der Verpackung sieht lecker aus, aber auf der Liste steht „Formfleisch“: Fleischreste werden einfach zusammengeklebt.

Milchriegel
Viele „gesunde“ Zwischenmahlzeiten wie Milchriegel oder Mini-Joghurts haben als zweite Zutat Fett oder Zucker in der Liste. Das heißt, sie enthalten vor allem Fett und Zucker!

Zutaten: Vollmilch, pflanzliche Fette, Zucker, Weizenmehl, Magermilchpulver, Honig, Butterreinfett, Volleipulver, Kakao, Weizenkleie, Backtriebmittel: Dinatriumdiphosphat, Natrium

b) Was wussten Sie nicht?
Markieren Sie in den Texten und berichten Sie.

Ich wusste nicht, dass Fruchtjoghurt Farbstoffe enthält.

26 **5** **Wer achtet beim Einkauf auf die Zutaten?**
a) Hören Sie die Aussagen und kreuzen Sie an.

	Andrea	Thomas	David	Julia	Max
Ja:	☐	☐	☐	☐	☐
Nein:	☐	☐	☐	☐	☐

Ich meine, Max hat Recht.

b) Welches Verhalten passt am besten zu Ihnen? Warum? 27

Findest du? Das sehe ich ganz anders.

27 **6** **Hören Sie das Lied. Variieren Sie es.**

Die Wissenschaft hat festgestellt, festgestellt, festgestellt,
dass Schokolade Fett enthält, Fett enthält.
Drum essen wir auf jeder Reise, jeder Reise, jeder Reise,
Schokolade eimerweise, eimerweise.

schwarzer Kaffee • Teer
Marmelade • Obst
roter Pudding • Blut

Was alles gegessen wird

7 Ein Leben ohne Fleisch?

a) Können Sie sich das für sich vorstellen? Diskutieren Sie zu zweit.

(ein Huhn) schlachten

b) Vor dem Lesen 1: Versuchen Sie, die Fragen zu beantworten.

1. Was kostet mehr: ein Huhn im Supermarkt oder ein Brot beim Bäcker?
2. Wie viele Hühner werden im Jahr in Deutschland geschlachtet?
3. Was ist ein Veganer?
4. Was könnte in der Zukunft eine Alternative zum Fleisch sein?

Futter bekommen

c) Vor dem Lesen 2: neue Wörter. Welches Wort passt nicht in die Reihe?

der Stall:	Blumen – Tiere – Bauernhof
die Ernährung:	Essen und Trinken – Lebensmittel – Unterhaltung
der Trend:	Richtung – Hoffnung – Mode
etwas ablehnen:	etwas nicht verstehen – nein sagen – etwas nicht gut finden

der Stall

d) Lesen Sie den Artikel und überprüfen Sie Ihre Antworten aus b).

Ein Leben ohne Fleisch?

Im Supermarkt wird ein ganzes Huhn schon für 2,99 Euro verkauft. Also nur 2,99 Euro für das Futter, für den Stall und für die Arbeitskraft, inklusive Gewinn. Ein Brot vom Bäcker kostet oft mehr.

Aber in westlichen Ländern scheint eine Ernährung ohne Fleisch und Wurst undenkbar. In Deutschland wurden zum Beispiel 2009 rund 600 Millionen Hühner, 56 Millionen Schweine, 3,8 Millionen Rinder, etwa eine Million Schafe und Lämmer sowie fast 28 000 Ziegen geschlachtet.

Doch es gibt einen neuen Trend: Viele Menschen kaufen Biofleisch, essen weniger Fleisch oder verzichten sogar ganz darauf. Früher wurden Vegetarier oft nicht ernst genommen, heute werden sie schon lange nicht mehr belächelt. Immer mehr Menschen sind sogar Veganer, sie lehnen neben Fleisch auch Milchprodukte und Eier ab.

Und auch in der Politik wird über ein Leben mit weniger Fleisch gesprochen. Spätestens im Jahr 2050, wenn etwa neun Milliarden Menschen auf der Erde leben, kann nicht mehr so viel Fleisch produziert werden. Deshalb hat die WHO jetzt eine Aktion gestartet, um westliche Länder für Insekten zu begeistern. Sie sind klein, haben viel Eiweiß und wenig Fett. Es gibt sie überall, sie brauchen wenig Platz und Futter und sind kein Problem für die Umwelt. Wer heute „in“ sein möchte, bestellt beim Japaner „hachi-no-ko“, gekochte Wespenlarve.

Schon fertig?
Notieren Sie Vorschläge für vegetarisches Essen.

Raus mit der Sprache.
Finden Sie in Ihrer Sprachschule zwei Vegetarier und fragen Sie sie nach ihren Gründen.

8 Passiv verstehen.

a) Unterstreichen Sie im Artikel alle Sätze mit dem Verb *werden*. Kann man in diesen Sätzen sagen, wer etwas tut?

b) Vergleichen Sie die Sätze und ergänzen Sie die Regel.

Aktiv — Die Bauern verkaufen ihre Hühner. (ihre Hühner: Akkusativ)

Passiv — Die Hühner werden verkauft. (Die Hühner: Nominativ; verkauft: Partizip II)

Regel:
Das *werden*-Passiv bildet man mit einer Form von *werden* + dem ________________. Man benutzt es, wenn es nicht so wichtig ist, ________________ etwas tut, aber man betonen möchte, ________________ getan wird, zum Beispiel in Gebrauchsanweisungen, Zeitungsberichten etc.

Zuerst esse ich, dann werde ich gegessen.

Passiv:
werden + Partizip II

9 Früher und heute. Lesen Sie noch einmal den Artikel und ergänzen Sie die Passivsätze im Präsens.

58

Früher wurde ein Huhn nicht so billig verkauft.

1. Heute ____

____

____

Früher wurden Vegetarier oft nicht ernst genommen.

2. Heute ____

____

____

Im Präteritum Passiv ändert sich nur die Form von werden*:*

ich werde	*wurde*	+ Part. II
du wirst	*wurdest*	
er/es/sie wird	*wurde*	
wir werden	*wurden*	
ihr werdet	*wurdet*	
sie/Sie werden	*wurden*	

10 Wie wird bei dir/Ihnen gegessen? Länder-Interview mit Fehler. Arbeiten Sie mit dem Fragebogen auf Seite 125.

125

a) Jeder/Jede stellt zwei bis drei Personen im Kurs die Fragen. Der/Die Interviewte antwortet und lügt bei einer Frage.

b) Lesen Sie Ihre „Recherchen“ laut vor. Überlegen Sie gemeinsam im Kurs, was stimmen könnte und was nicht.

Im Restaurant

11 **Essen gehen. Wohin würden Sie gehen und was würden Sie dort essen? Erzählen Sie.**

A

B

C

12 **Die Einladung.**

28 **a) Warum und wann treffen sich Ramón und Diego? Hören und antworten Sie.**

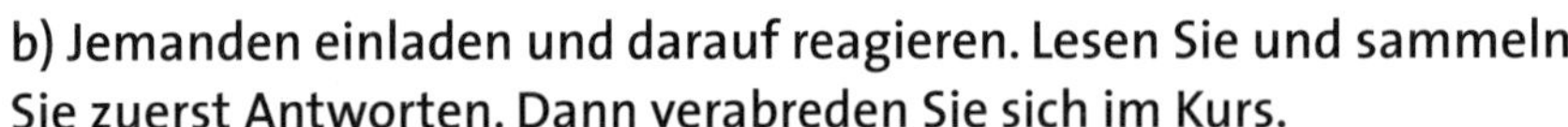

b) Jemanden einladen und darauf reagieren. Lesen Sie und sammeln Sie zuerst Antworten. Dann verabreden Sie sich im Kurs.

Ich möchte mich gerne bei dir für deine Hilfe bedanken. Darf ich dich zum Essen einladen? / Hast du Lust, mit mir essen zu gehen? Kommst du mit zum Italiener/Griechen (D) ... / italienisch/ spanisch/... essen?
Wir feiern unser Firmenjubiläum / ... und würden Sie gern zu einem Abendessen / zu einem Restaurantbesuch am ... einladen. Möchten Sie mit mir essen gehen? Ich kenne da ein neues Restaurant.
Sie sind herzlich eingeladen, an ... teilzunehmen.

Das ist nett von dir. Ich freu' mich.

Vielen Dank, aber ich habe leider schon etwas vor.

13 **Die Bestellung.**

29 **a) Was könnte Ramón passiert sein? Hören Sie und tauschen Sie Ihre Vermutungen aus.**

b) Was essen Ramón und Diego? Hören Sie noch einmal und finden Sie die Gerichte in der Speisekarte auf Seite 61.

c) Lesen Sie die Fragen. Sammeln Sie zu jeder Frage drei Antworten und notieren Sie sie auf einer Karte „Restaurantbesuch".

– Ja, gern. Für wann und für wie viele?
– Darf ich Ihnen schon etwas zu trinken bringen?
– Bitte, ich hätte diesen Tisch für Sie. Ist er recht?
– Haben Sie gewählt?
– Und hätten Sie auch gern eine Vorspeise?
– Sind Sie zufrieden?

61

d) Spielen Sie Gast und Kellner/in.

14 Die Reklamation.

30

a) Was ist das Problem? Hören Sie den Dialog und antworten Sie.

b) Wählen Sie etwas aus der Speisekarte aus und variieren Sie.

- Entschuldigung ... Obwohl ich eine milde Soße bestellt habe, ist diese hier wahnsinnig scharf.
- Oh, das tut mir leid. Ich bringe Ihnen sofort eine neue.
- Nein danke, ich mag nicht mehr.
- Was kann ich dann für Sie tun? Möchten Sie vielleicht einen Nachtisch[1] auf Kosten des Hauses?
- Was haben Sie denn als Dessert?
- Wie wäre es mit einem gemischten Eis mit Sahne[2] oder einem Apfelstrudel mit Vanillesoße?
- Ja, bringen Sie mir doch bitte einen Apfelstrudel.

Salat ohne/mit Tomaten • Suppe heiß/kalt • Steak medium/durch • Spaghetti al dente/zu weich • Pizza vegetarisch/mit Schinken • Apfelstrudel warm/kalt • ...

1 der Nachtisch (D), die Nachspeise (A)
2 die Sahne (D), der Schlag (A), der Rahm (CH)

Vorspeisen

Suppen

Tomatensuppe	3,00 Euro
Kartoffelsuppe	3,50 Euro
Hühnersuppe	3,50 Euro

Salate

Gurkensalat	3,00 Euro
Chefsalat	4,00 Euro

Spezialitäten des Hauses

Schweinebraten[3] mit Kloß und Salat	8,00 Euro
Steak mit Pommes und Salat	12,50 Euro

Vegetarisches

Omelette mit Waldpilzen	6,00 Euro
Gnocchi-Pfanne	6,50 Euro

Desserts

Gemischtes Eis mit Sahne	4,00 Euro
Apfelstrudel mit Vanillesoße	4,50 Euro

Unsere besondere Empfehlung: das Tagesgericht

Spaghetti mit Fenchel-Orangen-Soße	7,00 Euro

3 Schweinsbraten (A, CH)

15 *Obwohl.* Schreiben Sie Sätze wie im Beispiel.

Er verträgt keine Milch. Er isst ein Eis mit Sahne.

Obwohl er keine Milch verträgt, isst er ein Eis mit Sahne.

1. Ich mag keine Tomaten. Ich esse sie.
2. Fettiges Essen ist ungesund. Ich mag es.
3. In der Suppe fehlt Salz. Sie schmeckt gut.
4. Ich habe Hunger. Ich esse heute nichts.

Obwohl *und* **trotzdem** *drücken einen Widerspruch aus:*
Obwohl es regnet, gehe ich spazieren.
Es regnet. Trotzdem gehe ich spazieren.
So kann man auswählen, was man betonen möchte: den Regen oder den Spaziergang.

16 Bezahlen im Restaurant.

31

a) Was klingt höflich? Hören und entscheiden Sie: a oder b?

	höflich
1. Könnten Sie uns bitte die Rechnung bringen?	☐
2. Die Rechnung bitte.	☐
3. Können wir zahlen?	☐

b) Hören Sie noch einmal. Sprechen Sie Restaurantsätze in ähnlicher Betonung. Die anderen zeigen, wie es klingt.

die Weinkarte • die Karte • ein neues Glas • eine neue Serviette • ...

Alle zusammen

17 Wie werden Bratkartoffeln gemacht?

a) Bilden Sie 3er-Gruppen. Jede/r bekommt zwei Bilder und schreibt den passenden Satz aus dem Rezept ins *werden*-Passiv auf einen Zettel.

- 500 g Kartoffeln schälen
- die Kartoffeln in reichlich Salzwasser weich kochen
- eine große Zwiebel in feine Würfel schneiden
- die Kartoffeln in Scheiben schneiden
- 100 g Schinkenwürfel und die Zwiebel anbraten
- die Kartoffelscheiben in die Pfanne geben und schön braun braten

Zuerst werden 500 g Kartoffeln ...

b) Machen Sie das Buch zu. Mischen Sie alle Zettel in der Gruppe. Bringen Sie sie gemeinsam in die richtige Reihenfolge.

c) Jede/r in der Gruppe stellt jetzt sein/ihr Lieblingsrezept vor. Eine/r notiert die Gerichte. Am Ende werden alle Gerichte im Kurs präsentiert.

18 Handlungsketten. Arbeiten Sie zu zweit.

a) Lesen Sie das Beispiel, wählen Sie eine Situation aus und denken Sie sich eine Geschichte aus.

Ihnen fällt in einem feinen Restaurant ein Glas Rotwein um.

Mein Rotweinglas fällt um. Der Wein läuft auf das Hemd von meinem Chef. Am Tisch hören alle auf zu essen und es ist plötzlich sehr still. Ich schaue meinen Chef erschrocken an. Er schaut auf sein Hemd und sagt „Das Hemd mochte ich nie." Alle lachen.

Sie kochen und plötzlich brennt der Topf. / Es klingelt an der Tür. / Der Herd geht kaputt.

b) Nehmen Sie ein Blatt Papier. Beschreiben Sie jeden Handlungsschritt mit einem Satz.

c) Hängen Sie Ihre Handlungsketten im Kursraum auf und/oder lesen Sie sie laut vor.

Brot

„Altes Brot ist nicht hart.
Kein Brot ist hart."
aus Österreich

sich nicht die Butter vom Brot nehmen lassen

„In der Not isst der Bauer
die Wurst auch ohne Brot."
aus Deutschland

jemandem etwas (immer wieder) aufs Brot schmieren

„Ein Bier in der Not
ist ein ganzer Laib Brot."
aus Österreich

Wissenswertes über Brot

Brot landet oft im Müll. In Wien werden z. B. jährlich etwa 40 Kilogramm Backwaren pro Kopf weggeworfen, in Deutschland mehr als die Hälfte von der kompletten Brotproduktion.

Seit 1999 ist der letzte Freitag im September der „Tag des deutschen Butterbrots".

In Deutschland essen die Männer mehr Brot als die Frauen. Pro Tag isst ein Mann im Schnitt 178 Gramm Brot, Frauen 133 Gramm.

Ulm behauptet, das älteste Brotmuseum weltweit zu haben. Es wurde 1955 gegründet. Es werden 14.000 Objekte gezeigt. Nur eines fehlt in der Ausstellung: echtes Brot.

In der Antike wurden Ägypter spöttisch als „Brotesser" bezeichnet. Tatsächlich kannte man dort schon im zweiten Jahrtausend vor Christus etwa 30 Brotsorten.

In der Schweiz gibt es eine „Butterbrotgrenze". Denn in der Westhälfte nimmt man lieber weißes Brot und das wird selten als Butterbrot gegessen.

nach: „10 Dinge über Brot" (Süddeutsche Zeitung)

So nennt man den Rest

Kanten
Riebele
Buckl
Scherzl
Knust

Ich kann ...

über Lebensmittel und Ernährung sprechen

Morgens muss ich etwas Warmes essen.
Ich esse nie/oft/gern/viel Fleisch / frische Brötchen / ...
Ich darf keine Nüsse essen. / Der Apfel ist viel zu sauer. Er ist noch gar nicht reif.
Schokolade enthält viel Zucker und Fett. / Sind in dem Joghurt künstliche Farbstoffe?
Wird bei dir zu Hause viel Fleisch / spät abends / ... gegessen?
Dieser Käse wird aus Pflanzenfett hergestellt. Früher wurde weniger Fleisch produziert.

jemanden einladen

Darf ich Sie/dich zum Essen einladen?
Wir feiern ... und würden Sie gern zu einem Abendessen am ... einladen.
Haben Sie / Hast du Lust, / mit mir zum Italiener (D) / mit mir italienisch essen zu gehen?
Sie sind herzlich eingeladen, an ... teilzunehmen.

im Restaurant bestellen und reklamieren

Haben Sie eine (Wein-)Karte / auch etwas Vegetarisches / ...?
Bringen Sie mir bitte eine Tomatensuppe als Vorspeise und ein Steak mit Pilzen als Hauptgericht.
Entschuldigung, die Suppe ist viel zu scharf/kalt/.... Das habe ich nicht bestellt.
Könnten Sie mir bitte ein neues Glas / eine neue Serviette / ein ... bringen?
Obwohl ich keine Zwiebeln wollte, sind Zwiebeln im Salat.

Ich kenne ...

das *werden*-Passiv

Aktiv:	*Passiv:*
Der Koch schneidet die Kartoffeln. (die Kartoffeln: Akkusativ)	Die Kartoffeln werden geschnitten. (Die Kartoffeln: Nominativ; geschnitten: Partizip II)

Passivsätze im Präteritum
Früher wurde weniger Fleisch gegessen. Aber die Vegetarier wurden belächelt.
Du wurdest gestern zum Essen eingeladen? Ich wurde nicht gefragt!

Nebensätze mit *obwohl*

Obwohl ich keine Milch vertrage, esse ich oft Eis mit Sahne.

In Restaurants wird sehr viel Fleisch gegessen, obwohl es auch vegetarische Gerichte gibt.

Tipp
Benutzen Sie die Checkliste.
14

höfliche und unhöfliche Intonation

Könnten wir bezahlen? Die Rechnung bitte.

Teil 6

32

Dass Jutta Schäfer blond[1] ist, geht Kommissar Müller nicht aus dem Kopf. Hat sie Stefan Hildmann erstochen? Worüber hatte sie mit ihm gestritten? Wieso fand die alte Dame Jutta Schäfer seltsam? Warum nannte Robert Kosch den Toten einen komischen Typen? Und was hatte die ganze Greenpeace-Geschichte damit zu tun? Viele offene Fragen, zu viele? Thomas Müller geht in seinem Büro hin und her, um besser nachdenken zu können. Da bekommt er eine SMS: *Robert Kosch, 45, Bankangestellter, wohnt seit 12 Jahren in der Bettinastraße, seit 10 Jahren verheiratet mit Silke Kosch, 42 , Ingenieurin, keine Kinder. Gruß Klaus.* Hm. Sie war also auch Ingenieurin. Vielleicht arbeitete sie sogar mit Jutta Schäfer zusammen? War das der Grund, dass er Silke Kosch nicht gesprochen hatte? Hatte sie sich extra versteckt?

Thomas Müller schaut auf die Uhr: elf Uhr dreißig. Er fährt seinen Computer hoch[2] und checkt seine E-Mails, aber er hat noch keine Informationen zu den Handy- und Computerdaten von Hildmann. Im Internet versucht er, mehr über das Ingenieurbüro Sopho zu finden:

> Ingenieurbüro Sopho, 60327 Frankfurt – Entwicklung von Solarfenstern. Sparen Sie Heizkosten: Bauen Sie modernste Solarfenster ein, die im Winter heizen und im Sommer kühlen. Vereinbaren Sie mit uns einen Termin und wir antworten sofort.

Spannend, denkt Müller und in diesem Moment macht sein Computer „ping": eine neue Mail. Neugierig öffnet er sie, endlich die Informationen zu Hildmanns Handy und Computer.

Er liest interessiert. Silke Kosch und Jutta Schäfer arbeiteten beide an der Entwicklung von Solarfenstern. Hildmann hatte auch Kontakt zu Silke Kosch, die tatsächlich in einem Ingenieurbüro für Umwelttechnik arbeitet. Hildmanns Masterarbeit handelt von[3] der Entwicklung von Solarfenstern. Um an wichtige Daten für seine Arbeit zu kommen, hatte er die Computer von Jutta Schäfer und Silke Kosch gehackt[4]. Aber warum hatte er sie nicht einfach gefragt, sie waren doch Nachbarn? Plötzlich hat Müller immer mehr Puzzlestücke. Er schaut auf die Uhr, schon 13:30 Uhr, noch eineinhalb Stunden bis zu seiner Verabredung mit Jutta Schäfer. Er entscheidet sich, zu

Fuß zum Palmengarten zu gehen und im Café auf sie zu warten. Dort könnte er sicher auch etwas essen, denn er hat schrecklichen Hunger. Auf dem Weg zum Palmengarten klingelt sein Handy. „Müller. – Frau Kosch, was gibt's denn?" – Thomas Müller tut erstaunt: „Sie müssen mit mir über Stefan Hildmann reden? Hat Ihr Mann mir denn nicht schon alles gesagt? – Er hat Ihren Computer gehackt? Ja, wissen Sie denn warum? – Um Sie zu erpressen[5]? – Sie haben Daten, die zeigen, dass zu viel Geld für die Entwicklung von Solarfenstern ausgegeben wird? – Erzählen sie weiter ... – Hmm, ... dass Solarfenster keine Zukunft haben, aber dass schon bald viel bessere Fenster hergestellt werden? – Wie und warum hat er Sie denn erpresst? – Das möchten Sie mir nicht am Telefon sagen, natürlich. Könnten Sie denn zu uns kommen, in die Adickesallee 70 in den dritten Stock? Ich habe jetzt gleich einen Termin, aber mein Kollege Herr Peikert kümmert sich gern um Sie. – Gut, dann so gegen 16 Uhr. Auf Wiederhören". Sofort ruft er Uwe an, um ihn über die Neuigkeiten zu informieren.

1 blond = hell ≠ schwarze Haare
2 den Computer hochfahren = ihn anschalten
3 handeln von = es geht um
4 einen Compuer hacken: hineingehen und Daten ansehen
5 jdn erpressen: drohen, wenn du mir das nicht gibst, dann ...

1. Was bisher geschah. (Teil 1–5: S. 15, S. 25, S. 35, S. 45, S. 55)
2. Was ist jetzt passiert? (Was? Wer? Wann ? Wo?)
3. Die Figuren: Silke Kosch. (Name, Alter, Aussehen ...)
4. Telefonat, Zeile 45–60. Was hat Frau Kosch gesagt?
5. Frage-Antwort-Bälle.

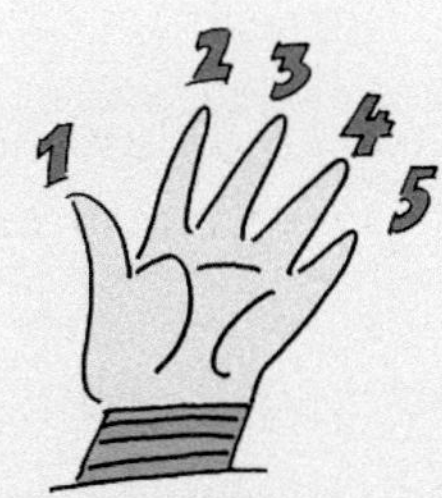

Dienstleistungen

Der Kunde ist König?

33 **1 Reaktionen.**

a) Sie hören neun Mini-Dialoge. Zu welchen Dialogen passen die Zeichnungen?

A	B	C	D
Dialog ☐	Dialog ☐	Dialog ☐	Dialog ☐

b) Was heißt das? Hören Sie noch einmal und verbinden Sie.

1. Ach so.	a) Das stimmt!
2. Igitt.	b) Das hat weh getan!
3. Ja genau!	c) Das schmeckt gut.
4. Aua!	d) Das habe ich nicht gewusst.
5. Also bitte!	e) Das ist sehr ärgerlich.
6. Wirklich?	f) Das ist ja eklig!
7. Tja, ...	g) Das geht so nicht.
8. Verdammt!	h) Das ist eben so.
9. Hmmmm!	i) Das ist ja unglaublich!

2 Standbilder.

a) Wo ist das? Sehen Sie das Foto an. Denken Sie sich zu zweit oder dritt ein Problem in einer anderen Situation aus und stellen Sie es als Standbild dar. Die anderen raten.

Das ist beim Frisör. Sie will nicht, dass ihre Haare geschnitten werden.

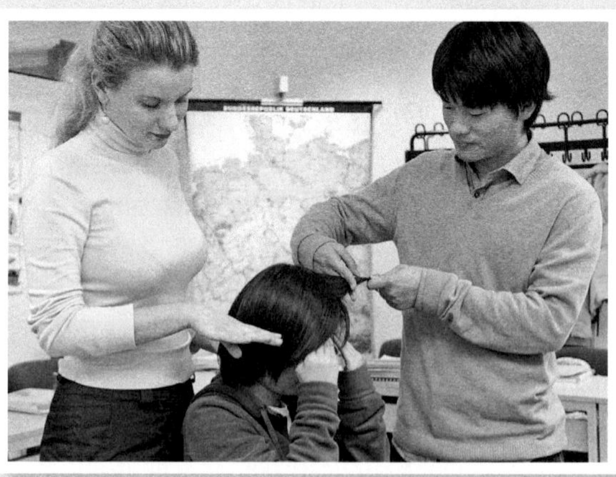

b) Schreiben Sie zu einem Standbild aus a) einen Dialog und präsentieren Sie ihn im Kurs. Verwenden Sie so viele Ausdrücke aus Aufgabe 1 b) wie möglich.

– *Verdammt. Ich will nicht.*
+ *Nur ein bisschen kürzer.*
– *Aua!*
+ *Was ist los?*
– *Das hat weh getan! Sie hat mir ins Ohr geschnitten!*
+ *Wirklich? ... Also bitte!*

3 **Wo muss man sich anstellen? Machen Sie ein Wörternetz.**

wichtige Wörter:
die Filiale • dran sein • ein Anliegen haben • zuständig sein

4 **Das Beschwerdeportal.**
a) Was ist das Problem? Lesen Sie den Text und antworten Sie.

www.servicewues.de

Autor: Sandra
21.09.2012

Beitrag zum Thema: Dienstleistungen

Päckchen verschwunden

Es ist Donnerstag, 17 Uhr und im Briefkasten liegt ein Zettel vom Postboten: „Es hat geregnet, habe deshalb das Päckchen in die Papiertonne gelegt." Bitte was? Päckchen in der Papiertonne? Es ist ja nett, dass mein Päckchen nicht nass werden soll, aber warum gerade die Papiertonne? Und heute wird das Altpapier abgeholt! ... Oh nein, bitte nicht, ich ahne Schlimmes. Oh doch! Die Papiertonne ist leer und mein Päckchen weg. Das darf doch nicht wahr sein! Also muss ich zur Postfiliale. Hinter der „Diskretionszone" steht natürlich eine lange Schlange und nur drei von sieben Schaltern sind geöffnet. „Sehr geehrte Kundin, sehr geehrter Kunde!" steht auf einem Schild. „Warten Sie bitte hier und treten Sie dann an den nächsten freien Schalter." Das kann dauern. Als ich endlich dran bin, sagt mir der Angestellte, dass ich im „Servicecenter" anrufen soll. Warum er das nicht selbst macht, frage ich mich natürlich erst, als ich schon wieder auf dem Weg nach Hause bin. Ich wähle die Nummer und höre wie immer nur das: „Wenn Sie dieses Anliegen haben, drücken Sie die 1, wenn Sie das haben, die 2 und wenn Sie einen unserer Mitarbeiter sprechen möchten, die 3." Das persönliche Gespräch mit der „Drei" hilft mir auch nicht, denn: „Es tut mir sehr leid, aber für solche Fälle sind wir nicht zuständig". Ich möchte gar nicht mehr wissen, wer zuständig ist und lege auf. Der Kunde ist eben König!

b) Lesen Sie noch einmal den Text und beantworten Sie so viele W-Fragen wie möglich im Kurs. Eine/r fragt, die anderen antworten.

Schon fertig?
Haben Sie auch schon mal einen schlechten Service erlebt? Machen Sie eine Liste oder schreiben Sie einen Eintrag auf *servicewues.de*.

5 **Und Sie? Wo haben Sie gute und schlechte Erfahrungen gemacht? Berichten Sie.**

Ich war bei einer Werkstatt und ...

Ich bin nicht zuständig

6 Am Schalter.

34 **a) Wie hilft der Postangestellte weiter? Hören und antworten Sie.**

35 **b) Der Anruf beim Servicecenter. Bilden Sie drei Gruppen. Hören und antworten Sie.**

Gruppe 1: Mit wem wird Frau Leutberger verbunden?
Gruppe 2: Wie findet die Angestellte die Geschichte mit dem Päckchen?
Gruppe 3: Wer ist zuständig für die Beschwerde?

c) Lesen Sie den Dialog. Wählen Sie eine Situation aus und spielen Sie eine Beschwerde am Telefon. Die *kursiven* Textteile helfen.

Reiseunternehmen • Hotel • Internetservice • Arbeitsagentur • ...

der Bus hatte Verspätung • Flug verpasst • die Toilette ist verstopft • Baustelle neben dem Hotel • Bestellung nicht geliefert • Angestellte/r unfreundlich • ...

- Mein Name ist Sandra Leutberger. *Ich rufe an, weil* mein Päckchen nicht angekommen ist.
- Einen Moment bitte, *ich verbinde Sie mit der zuständigen Abteilung.*
- Schadensabteilung Markwart, *was kann ich für Sie tun?*
- Mein Päckchen wurde in die Papiertonne gelegt und natürlich wurde sie genau heute geleert. Jetzt ist das Päckchen weg. *Wer kommt nun für den Schaden auf?*
- Das ist ja eine verrückte Geschichte. Erst einmal möchte ich mich bei Ihnen entschuldigen. *Wann und wo war das?*
- Heute, hier in Trier. In der Bahnhofstraße 7.
- Oh, es tut mir leid, aber das ist nicht mein Gebiet. Im Südwesten *bin ich nicht zuständig. Aber ich leite Ihr Problem gerne an die zuständigen Kollegen* in Trier *weiter.*

7 Frau Leutberger beschwert sich schriftlich. Schreiben Sie den Brief.

Ort, Datum	Wo? Wann?
Sehr geehrte/r Mitarbeiter/in,	Anrede
ich habe immer gute Erfahrungen mit der Post gemacht. Aber jetzt	Einleitung
bin ich sehr verärgert. Am ... hat der Paketbote ... Keiner fühlt sich zuständig.	Was ist das Problem?
Aber mir ist ein Schaden entstanden. Wer ...	nach Lösung fragen
Mit freundlichen Grüßen	Gruß und Unterschrift

Schon fertig?
Womit könnte man die Kundin beruhigen? Machen Sie eine Liste.

Geld • Gutschein • ...

Der Laden ist geöffnet

8 Das *sein*-Passiv. Lesen Sie die Beispiele und ergänzen Sie den Satz.

Etwas passiert: Der Laden wird geöffnet.[1]	*Etwas ist passiert, es gibt einen neuen Zustand:* Der Laden ist geöffnet.

1 aufgesperrt (A)

Die Tonne wird geleert.

Die Tonne ______________ geleert und das Päckchen ist weg.

9 Vorher – nachher. Schreiben Sie Sätze wie im Beispiel.

Die Toilette wird geputzt. *Die Haare werden geschnitten.* *Der Tisch wird reserviert.*

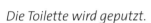

Die Toilette wurde geputzt. Jetzt ist die Toilette geputzt.

Das sein-Passiv:
Eine Form von **sein** + *Partizip II.*

10 Anweisung und Ausführung. Sprechen Sie wie im Beispiel.

im Restaurant: Gläser abräumen, Tische decken, Aschenbecher ausleeren
im Fitnessstudio: Geräte überprüfen, Bälle wegräumen, Handtücher waschen
im Amt: Chef informieren, Anträge kopieren, Kaffee kochen
im Supermarkt: Geld zählen, Getränkeautomaten überprüfen, Tür aufschließen

Wurden die Gläser schon abgeräumt?

Ja, die Gläser sind abgeräumt.

11 Im Kursraum. Arbeiten Sie zu dritt. Der/Die Erste gibt eine Anweisung, der/die Zweite macht die Bewegung und der/die Dritte nennt das Ergebnis.

die Tür abschließen • das Licht an-/ausmachen • die Tafel putzen • das Fenster öffnen • ...

Öffne bitte die Tür.

Die Tür ist geöffnet.

Selbst machen oder machen lassen?

12 **Was können Sie selbst machen? Was macht jemand anderes für Sie? Sammeln Sie an der Tafel.**

Sie selbst	jemand anderes
Auto fahren	Haare schneiden

die Steuererklärung machen • die Wohnung renovieren • ein Hotel buchen • die Fenster putzen • das Auto reparieren …

13 ***Lassen.***
a) Lesen Sie das Beispiel und ordnen Sie ihm die richtige Zeichnung zu.

A B

Beispiel: Er lässt seine Haare schneiden.

b) Schreiben Sie zu der Liste aus Aufgabe 12 Sätze mit *lassen*.

das Verb lassen

ich	*lasse*	+ *Infinitiv*
du	*lässt*	
er/sie/es	*lässt*	
wir	*lassen*	
ihr	*lasst*	
sie/Sie	*lassen*	

Perfekt **(haben +** ***2x Infinitiv):***
Ich habe mein Fahrrad reparieren lassen.

unpersönliche Formen:
Ich lasse meine Haare schneiden.
Man schneidet meine Haare.
Meine Haare werden geschnitten.

36 **14** **Weltputzfrauentag. Hören Sie und ordnen Sie die Aussagen.**

1. Offiziell heißt der Beruf Gebäudereiniger/in.
2. Aber vor allem Frauen arbeiten oft in privaten Haushalten.
3. Der Tag wurde von einer Krimiautorin erfunden, weil ihre Romanfigur eine Putzfrau ist.
4. Man kann in diesem Beruf eine Lehre machen und für eine Firma arbeiten.

November
8
Tag der Putzfrau

15 **Putzfrauen? Wie denken Sie darüber? Diskutieren Sie im Kurs.**

Eine Putzfrau haben doch nur reiche Leute.

Das ist ein wichtiger Job!

Besonders für alte Leute.

Mehr Putzmänner braucht das Land!

Raus mit der Sprache.
Machen Sie eine Umfrage. Fragen Sie mindestens fünf Personen: Was lassen Sie lieber andere machen?

Hemden bügeln • Auto waschen • Rasen mähen • …

37 **16** **Ich doch nicht! Hören Sie das Beispiel und variieren Sie es.**

ICH DOCH NICHT!

17 Die Kundin ist unzufrieden.

a) Warum? Was wurde falsch gemacht? Markieren Sie im Text.

Vor dem Schneiden:

◂ Meine Haare sehen so langweilig aus. Ich würde gern mal etwas anderes ausprobieren.
▮ Also ein neuer Schnitt?
◂ Vielleicht etwas kürzer, aber nicht zu kurz.
▮ Hätten Sie auch gern ein paar Strähnchen?
◂ Ich weiß nicht ... Finden Sie wirklich, dass mir das steht? Na ja, Sie müssen es ja wissen.

Nach dem Schneiden:

◂ Schauen Sie mal, ist das gut so?
▮ Oh Gott, das ist ja viel zu kurz und viel zu bunt!
◂ Das heißt, es gefällt Ihnen nicht?
▮ Es ist schrecklich. Warum haben Sie es denn so kurz geschnitten? Fragen Sie mich doch, bevor Sie so etwas machen!

b) Was hätte die Frisörin fragen und die Kundin sagen können? Schreiben Sie den Dialog neu und präsentieren Sie ihn im Kurs.

c) Sie sind unzufrieden. Wählen Sie eine Situation aus und beschweren Sie sich.

1. Die neue Küche ist da.
2. Sie hatten eine Trainingsstunde.
3. Ihr Anzug wurde geändert.
4. ...

Kundengespräche
Haben Sie einen besonderen Wunsch? Welche Farbe(n) ...?
Darf ich Ihnen ein Bild zeigen?
Wie viel darf es denn kosten?

Ich hätte/würde gern ...
Könnten Sie .../Es soll .... sein./
Es darf nicht mehr als ... kosten.

Unzufriedenheit ausdrücken
Ich bin überhaupt nicht zufrieden.
Das gefällt mir gar nicht. Ich wollte doch ...
Sie hätten doch ...
Das ist zu teuer/lang/...
Ich frage mich, ob Sie ...

18 *Bevor*. Lesen Sie das Beispiel und ergänzen Sie die Nebensätze.

Hauptsatz	*Nebensatz*
Fragen Sie mich doch,	bevor Sie so etwas (machen)!
Nebensatz	*Hauptsatz*
Bevor ich zur Arbeit (fahre,)	trinke ich einen Kaffee.

1. Wasch dir die Hände, bevor ...
2. Tanja liest noch ihre E-Mails, bevor ...
3. Bevor ich in den Urlaub fahre, ...

38

19 Im Frisörsalon.

a) Punkt oder Fragezeichen? Hören und ergänzen Sie das Satzzeichen.

1. Fegen[1] Sie auch in den Ecken	Fegen Sie auch in den Ecken
2. Waschen Sie die Handtücher	Waschen Sie die Handtücher
3. Ziehen Sie die Handschuhe an	Ziehen Sie die Handschuhe an

Satzfrage:
Kaufen Sie heute ein? ↗
Imperativ:
Kaufen Sie heute ein! ↘

1 kehren (A), fegen (D), wischen (CH)

b) Wählen Sie zu zweit eine Situation und schreiben Sie Sätze wie in a) auf Karten. Entscheiden Sie, wer Chef/Chefin ist.

im Hotel • in der Restaurantküche • im Fitnessstudio • ...

c) Jetzt gehen alle durch den Raum. Die „Chefs" geben Anweisungen, die anderen stellen Fragen. Hören Sie genau zu und schicken Sie die Chefs in die Ecke.

Alle zusammen

20 Mit Liedern arbeiten.

a) Detlef Cordes. Schauen Sie sich das Bild an. Was denken Sie: Was für Musik spielt der Mann? Für wen? Sammeln Sie an der Tafel.

39 b) Die Bewertung. Zeichnen Sie an der Tafel ein Diagramm. Dann hören Sie das Lied und machen einen Punkt im Diagramm. Begründen Sie Ihre Entscheidung.

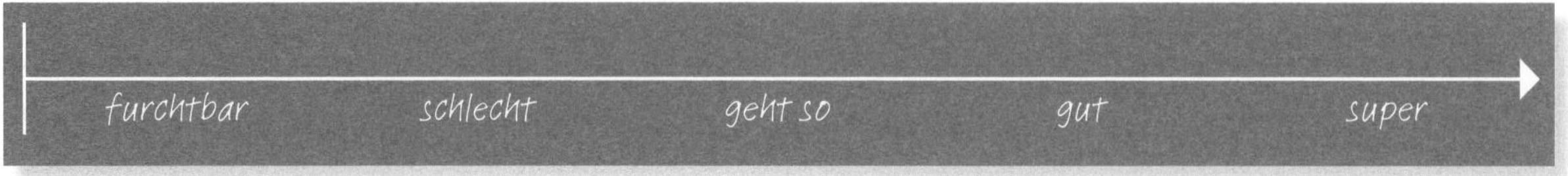

c) Wann hören Sie was? Hören Sie das Lied noch einmal und nummerieren Sie die Zeichnungen.

39 **21** Verstehensinseln.

a) Hören Sie das Lied und stehen Sie auf, wenn Sie das Wort *Frisör* hören.

b) Bilden Sie vier Gruppen und wählen Sie einen Satz aus. Hören Sie das Lied noch einmal und stehen Sie auf, wenn die Stelle kommt, die zu Ihrem Satz passt.

Manche gehen gern zum Frisör, andere nicht.
Alle möchten hinterher schöner sein.
Wenn die Haare zu lang sind, gibt es ein Problem.
Beim Frisör kann es auch mal wehtun.

c) Hören Sie das Lied mehrmals. Jeder in der Gruppe notiert so viele Wörter und Sätze aus dem Lied wie möglich.

d) Vergleichen und ergänzen Sie in Ihrer Gruppe die Texte.

e) Mischen Sie die Gruppen und versuchen Sie, das Lied komplett aufzuschreiben. Kontrollieren Sie das Ergebnis.

Haare

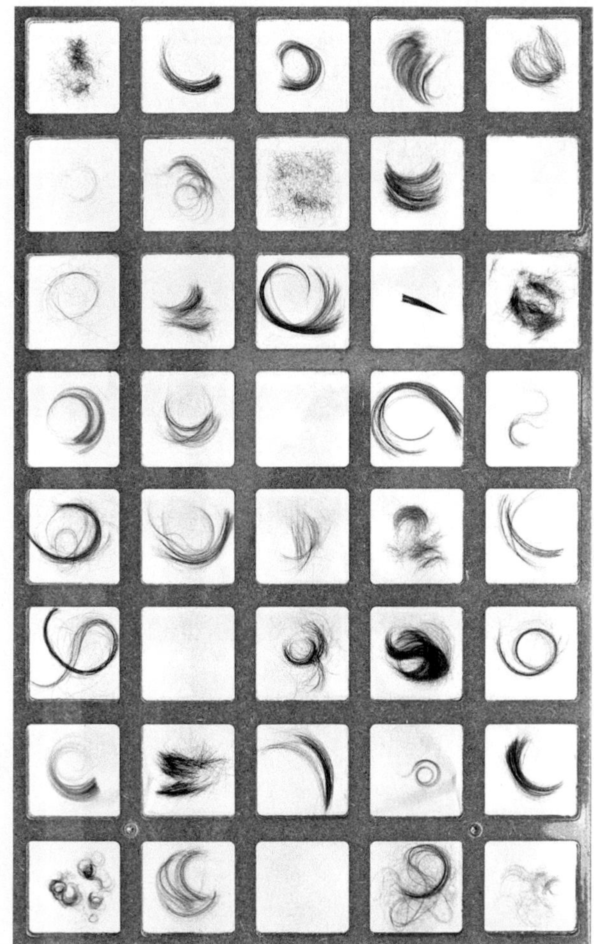

Haare einer Stadt
Roland Stecher hat für das Gemeindehaus in Sulzberg ein ungewöhnliches Kunst-am-Bau-Projekt geschaffen. Fast alle Einwohner von Sulzberg haben eine Locke gespendet und der Künstler hat diese in 1740 transparenten Würfeln ausgestellt.

Was heißt das?

Er ist Musiker mit Haut und Haaren.

Musst du immer ein Haar in der Suppe finden?

Er lässt kein gutes Haar an ihr.

Sie hat Haare auf den Zähnen.

Da stehen mir die Haare zu Berge!

Frisörnamen

Haarmonie · Haargenau · Haar$_2$O · Vier Haareszeiten · Über kurz oder lang · Kamm in · Notaufnahme · Hin & Hair

Die Glatze *von Natalie Rosenke*
Ein Haar.
Ein Kleines.
Ein Haar.
Ein Zweites.
Und ein heller Fleck.

Dort wo doch vor einem Jahr,
Sogar noch ein Drittes war.

Heute ist es weg.

Quiz

Wer hat die meisten Kopfhaare: Blonde, Brünette, Rot- oder Schwarzhaarige?

Blonde: 150.000 • Schwarzhaarige: 110.000 • Brünette: 100.000 • Rothaarige: 75.000

Ich kann ...

über Dienstleistungen sprechen

Meine Tochter / Mein Sohn / Er / ... geht / Ich gehe (nicht) gern zum Frisör/zur ...
Bei der Post / Beim Amt / In ... gibt es immer lange Schlangen / muss man (nicht) lange warten.
Nur drei von sieben Schaltern sind geöffnet.
Hier hilft man mir (nicht) weiter. / Der Service hier ist gut/schlecht.
Meine Fenster lasse ich putzen / putze ich selbst.

emotional reagieren

Ach so, das habe ich nicht gewusst. / Igitt – das ist ja eklig!
Verdammt! / Aua! / Also bitte! Das geht so nicht.
Wirklich? Das ist ja unglaublich!

mich beschweren

Ich bin überhaupt nicht zufrieden. / Das gefällt mir gar nicht. Ich wollte doch ...
Sie hätten doch ... / Das ist zu teuer/lang/... / Ich frage mich, ob Sie ...
Ich möchte mich beschweren. Ich habe am ... / in der / im ... Der / Die Mitarbeiter/in hat ...
Das Päckchen / Der Brief / ... ist verschwunden. Wer kommt für den Schaden auf?
Ich soll bezahlen, obwohl nicht geliefert wurde?
Wer kann mir weiterhelfen? / Wer ist denn zuständig? Haben Sie eine Nummer / eine E-Mail-Adresse für mich?

Ich kenne ...

das *sein*-Passiv im Präsens

beschreibt ein Ergebnis und drückt einen Zustand aus:
Das Restaurant ist geöffnet. Die Tische sind gedeckt. Jetzt können die Gäste kommen.

das Verb *lassen*

Ich schneide meine Haare nicht selbst. Ich lasse meine Haare schneiden.
Du lässt deine Steuererklärung machen. Sie lässt sich zum Hotel fahren. Wir lassen unsere Wohnung renovieren. Ihr lasst eure Fenster putzen? Sie lassen es sich gut gehen.

Nebensätze mit *bevor*

Er musste sich noch umziehen, bevor die Party anfing.

Bevor ich dich kennengelernt habe, war ich lange allein.

die Betonung von Aufforderungen oder Fragen

Räumen Sie auch das Geschirr ab! ↘
Räumen Sie auch das Geschirr ab? ↗

Tipp
Benutzen Sie die Checkliste.
14

Ein Krimi in 7 Teilen

Der Tote aus dem Westend

Teil 7

40

Fast zur gleichen Zeit wie gestern kommt er ins Café Siesmayer. Heute ist es windig, also geht er hinein. Als er seinen Milchkaffee und ein Stück Erdbeerkuchen bestellt hat, nimmt er seine Zeitung, aber er kann sich nicht wirklich konzentrieren. Gespannt wartet er auf Jutta Schäfer, was wird sie ihm erzählen?

Eine junge Kellnerin bringt ihm seinen Kaffee und Kuchen. Gleich ist es drei. Im Kopf fasst er alle Informationen zusammen, die er seit gestern bekommen hat. Er würde Jutta Schäfer erst einmal reden lassen und dann Fragen stellen, mit dieser Methode hatte er bis jetzt fast immer Erfolg. Pünktlich um 15 Uhr kommt Jutta Schäfer herein. Sie wirkt jünger als Anfang 30, ihre blonden Haare hat sie zu einem Pferdeschwanz[1] zusammengebunden, sie sieht müde aus und ist sehr dünn. Nervös sucht sie das Café ab, dann entdeckt sie den Kommissar und kommt an seinen Tisch. „Kommissar Müller?“ „Ja, ich grüße Sie, Frau Schäfer, schön, dass es endlich geklappt hat, nehmen Sie doch bitte Platz.“ Jutta Schäfer studiert nervös die Karte und bestellt schließlich eine Apfelschorle. „Nun ja“, beginnt sie, „Stefan Hildmann war ja mein Nachbar, ich bin immer noch ganz geschockt.[2] Ich habe in der letzten Nacht überhaupt nicht geschlafen, so eine Angst hatte ich. Also, in der Nacht als Stefan erstochen wurde, wollte ich morgens zur Arbeit gehen und hab' – Die junge Frau fängt an zu weinen – hab' ihn im Flur gefunden. Danach habe ich gleich die Polizei angerufen. Aber eigentlich wollte ich Ihnen sagen ...“ Sie sucht nach Worten. „ Was denn?“ fragt Thomas Müller mit ruhiger Stimme. „Sie wissen vielleicht schon, dass Stefan bei Greenpeace war und Umweltwissenschaften studierte. In seiner Masterarbeit schrieb er über Solarfenster. Den Tipp hatte ich ihm gegeben, als ich ihn vor ein paar Monaten kennenlernte. Wir verstanden uns gut, aber plötzlich wollte Stefan immer mehr Informationen. Die konnte ich ihm nicht geben, das waren Geheimnisse aus unserem Büro, wenn Sie verstehen, was ich meine.“ „Aber natürlich.“ „Und dann fing er auch noch an, meine Informationen an Greenpeace weiterzugeben, wenn das mein Chef erfahren hätte. Ich hätte sofort meinen Job verloren. An einem Abend hatten wir deshalb einen fürchterlichen Streit.

Am nächsten Tag fing Stefan an, auch Frau Kosch um Informationen zu bitten. Sie arbeitet – wie ich – in der Umwelttechnik, findet aber, dass Solarfenster kompletter Unsinn sind.“

„Mmh, haben Sie eine Idee, welche Informationen er von Frau Kosch bekommen hat?“ Jutta Schäfer denkt einen Augenblick nach: „Ich vermute, dass sie ihm mit Ihrem Wissen zeigen wollte, wie schlecht Solarfenster sind. Das hätte aber für seine Masterarbeit das Aus bedeutet. Ich weiß allerdings nicht, was aus seiner Arbeit geworden ist. Seit unserem Streit hatten wir nicht mehr miteinander gesprochen.“ Sie schaut nachdenklich aus dem Fenster. „Frau Schäfer, wussten Sie, dass Herr Hildmann Ihren und Frau Kosch' Computer gehackt hat?“ „Oh Gott, nein, das darf doch nicht wahr sein!“ Kommissar Müller versucht sie zu beruhigen. „Damit kann ja jetzt nichts mehr passieren. Alle Informationen sind bei uns in sicheren Händen. Eine Frage habe ich aber noch: Haben Sie ein Alibi für vorgestern Nacht?“ Nervös schaut sie auf ihre Schuhe und antwortet leise: „Ja, mein Freund war die ganze Nacht bei mir. Soll ich Ihnen seine Telefonnummer geben?“ „Nein danke, nicht nötig, ich melde mich bei Ihnen, wenn ich sie brauche.“ In diesem Moment klingelt sein Handy: „Uwe, was gibt's? – Sie hat die Daten gefälscht? – Angst um ihren Job? – In Panik gehandelt[3]? – Gut, Uwe, ich komme sofort.“ „Frau Schäfer, ich muss leider sofort ins Präsidium, vielen Dank für Ihre Zeit. Sie hören von mir.“

1 der Pferdeschwanz = eine Frisur
2 geschockt sein = erschrocken sein
3 in Panik handeln = voller Angst etwas tun

1. Was bisher geschah. (Teil 1–6: S. 15, S. 25, S. 35, S. 45, S. 55, S. 65)
2. Was ist jetzt passiert? (Was? Wer? Wann? Wo?)
3. Die Figuren: Stefan Hildmann. (Was wissen Sie jetzt von ihm?)

4. Telefonat, Zeile 65–68. Was hat Uwe Peikert gesagt?
5. Frage-Antwort-Bälle.

Übungen ► Über das Lernen

Zu **1 Definitionen. Lösen Sie das Rätsel.**

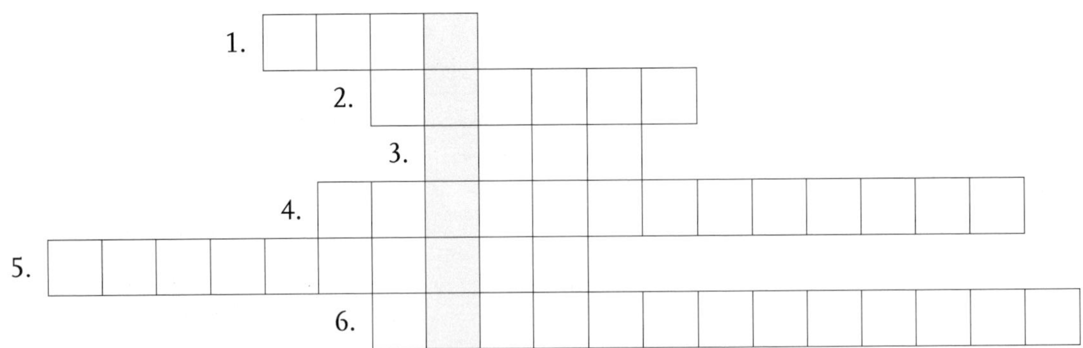

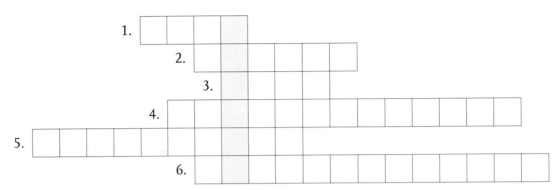

1. Man hat ein und will es früher oder später erreichen.
2. Das hat man im Kopf und man denkt damit.
3. ist ein anderes Wort für Zimmer.
4. ist, wenn man intensiv an etwas denkt oder für etwas arbeitet.
5. Ein Klavier ist ein ...
6. bekommt man z. B. aus Büchern, aus den Nachrichten oder von anderen Personen.

Lösungswort: ______________________

Zu **2 Max lernt Klavierspielen. Sehen Sie sich die Bilder an und schreiben Sie eine Geschichte.**

Zu **3 Ihre Lernerfahrungen bis heute. Was war gut, was nicht? Schreiben Sie eine Zusammenfassung.**

Zu **4 Wie lernt welcher Lerntyp? Ordnen Sie die Tätigkeiten den Lerntypen zu. Manchmal gibt es mehrere Möglichkeiten.**

sehen	hören	sprechen	anfassen und bewegen

fühlen • sich unterhalten • Radio hören • herumlaufen • fernsehen • lesen • fragen • laut vorlesen • mitschreiben • Geschichten erzählen • Rollenspiele machen • über etwas diskutieren • zeichnen • Lieder singen • Bilder ansehen • zuhören • tanzen • antworten • mit Händen und Füßen sprechen

Wählen Sie sechs Tätigkeiten aus der Tabelle aus und schreiben Sie, wie Sie am besten lernen.

Zu **7** 1) **Arbeit mit einsprachigen Wörterbüchern. Welche Wörter sind gemeint? Schreiben Sie.**

1. [illegible] *der*; <es, -e>; ein Grund, etw. zu tun

2. [illegible] **1.** *tr* (= ausmachen; ⟷ einschalten) *das Radio* ~; **2.** aufhören, sich auf etw. zu konzentrieren

3. [illegible] *die*; <–; -n>; Art und Weise, etw. zu tun, Mittel, Strategie

4. [illegible] *das*; <es>; rote Flüssigkeit, die durch den Körper fließt

1. ______________________ 3. ______________________

2. ______________________ 4. ______________________

2) **Wo finden Sie in den Wörterbucheinträgen den Artikel und die Pluralform? Markieren Sie, und ergänzen Sie beides in 1).**

3) **Ein besonderes Gehirn.**
a) Lesen Sie die Überschrift und den Text.

„Ich kann nichts vergessen."

Die Österreicherin Eva Schett kann sich an jeden Tag ihres Lebens seit ihrem zwölften Lebensjahr erinnern. Im Interview erzählt sie, wie sie mit ihrem perfekten Gedächtnis lebt.

b) ABC-Notizen. Schreiben Sie auf ein Blatt Papier das ABC untereinander.

2 **c) Hören Sie das Interview zweimal. Notieren Sie zu möglichst vielen Buchstaben auf Ihrem ABC-Blatt Wörter, die Sie hören.**

A Arzt
B Bilder (im Kopf)
C
D Datum
E Erdbeerkuchen

d) Nehmen Sie Ihr ABC-Blatt mit in den Unterricht und sprechen Sie mit Ihrem Kursnachbar/Ihrer Kursnachbarin über das Interview.

Tipp

Schreiben Sie doch auch mal beim Fernsehen eine ABC-Liste.

Zu **9** 1) **Wörtertreppe. Schreiben Sie die Formen wie im Beispiel.**

sein • haben • werden • müssen • wissen

Infinitiv	*Präteritum*	*Konjunktiv*
können	konnten	könnten

3 **2) Konjunktiv oder Präteritum? Setzen Sie die richtige Form von *sein* ein. Dann hören Sie und vergleichen Sie Ihre Lösung.**

- Ach, ich ________[1] so gerne eine bessere Klavierspielerin!
- Aber du ________[2] doch immer so eine gute Klavierspielerin.
- Ja früher, aber jetzt habe ich eine so unsympathische Lehrerin. Wenn sie nicht so streng ________[3], ________[4] ich bestimmt besser. Aber so bin ich immer aufgeregt und mache viele Fehler.
- ________[5] du denn schon einmal bei Frau Wagner? Sie ________[6] früher immer meine Lieblingslehrerin.
- Unterrichtet sie denn noch?
- Ich glaube schon.
- Dann rufe ich sie gleich mal an. Es ________[7] wirklich schön, wenn mein Unterricht bei ihr ________[8]!

4 **3) Was hat Pavel, was hätte er gern? Hören Sie und sprechen Sie wie in den Beispielen.**

Er hat zu wenig Zeit.

Er hätte gern mehr Zeit.

Er hat zu viel Stress.

Er hätte gern weniger Stress.

+ ***Hätte* und *wäre*. Schreiben Sie zu jedem Buchstaben eine Assoziation. Schreiben Sie dann ganze Sätze wie im Beispiel.**

HÄTTE

*einen **ä**lteren Bruder*

reich

WÄRE

Ich hätte gerne einen älteren Bruder.

Zu 10 Wünsche. Wählen Sie ein Thema. Notieren Sie, was Sie machen würden, wenn ...

... Sie Deutschlehrer/in wären? ... Sie drei Wünsche frei hätten?
... Sie ein Flugzeug hätten? ... die Zeit still stehen würde?

Wenn ich Deutschlehrer wäre, würde ich ...

Zu 13 1) Umlaute. Ergänzen Sie die passenden Formen der Verben.

1. haben: Ich ____________ gern mehr gelernt, aber ich ____________ keine Zeit.
2. sein: Du ____________ ein guter Lehrer, aber du ____________ früher kein guter Schüler.
3. können: Wir ____________ uns heute treffen. Gestern ____________ wir ja nicht.
4. müssen: Du ____________ schon wieder zum Arzt, weil du Rückenschmerzen hattest?
   Du ____________ wirklich mehr Sport treiben!

5 **2) Hören Sie und kontrollieren Sie Ihre Lösung in 1).**

Zu 14 Die Lerncheckliste. Lesen Sie die Checkliste und die Erklärungen. Welche Erklärung passt zu welchem Lerntipp?

Lerncheckliste

1. ☐ Überlegen Sie, was Sie lernen werden.
2. ☐ Bringen Sie sich in eine positive Lernstimmung.
3. ☐ Fragen Sie sich, warum Sie das lernen wollen.
4. ☐ Arbeiten Sie nicht zu lange an dem gleichen Thema.
5. ☐ Machen Sie Pausen.
6. ☐ Lernen Sie aus Ihren Fehlern. Welche Fehler machen Sie oft? Was können Sie dagegen tun?
7. ☐ Wiederholen Sie viel und oft.
8. ☐ Bereiten Sie sich auf den Unterricht vor.
9. ☐ Schreiben Sie sich alle Fragen auf und fragen Sie dann auch.

a) Wenn ich meine Probleme kenne, kann ich sie besser lösen.
b) Das Gehirn braucht Zeit, damit es die neuen Informationen ordnen und speichern kann.
c) Wenn ich gestresst bin oder Angst habe, kann ich keine Informationen aufnehmen.
d) Wenn ich etwas nicht verstehe, sollte ich möglichst schnell um eine Erklärung bitten.
e) Ohne Motivation und Ziel kann ich nicht lernen.
f) Wenn ich gut vorbereitet bin, kann ich mich besser auf den Unterricht konzentrieren.
g) Alles Neue muss ich mindestens 30-mal (!) verarbeiten.
h) Wenn ich das Thema kenne, kann das Gehirn schon nach einem Speicherplatz suchen.
i) Wenn ich zu lange das Gleiche lerne, schaltet das Gehirn ab.

Überprüfen Sie mit der Checkliste, wie Sie selbst lernen. Was können Sie besser machen? Bereiten Sie sich mit der Liste auf Ihre nächste Unterrichtsstunde vor.

Übungen ► Über das Lernen

Prüfungsvorbereitung

Lesen, Teil 2
Lesen Sie den Text und die Aufgaben. Kreuzen Sie die richtige Lösung (a, b oder c) an.

Drei Tipps für Deutschlernende: So werden Sie aufmerksamer und konzentrierter

Tipp 1: Wählen Sie eine Seite aus Ja genau! B1/1 und zählen Sie, wie oft auf der Seite das Wort „und" steht. Unterstreichen Sie es. Wenn Sie es schwieriger machen wollen, zählen Sie zwei Wörter, z. B. „und" und „ich". Das können Sie auch mit Zeitungstexten machen.
Tipp 2: Wählen Sie im Fernsehen eine kurze Sendung aus (Tagesschau, Wetter, Kinoprogramm etc.). Stehen Sie immer auf, wenn Sie ein bestimmtes Wort hören (das kann z. B. ein Land sein, wenn Sie die Nachrichten sehen). So können Sie sich den Inhalt besser merken.
Tipp 3: Nehmen Sie ein Foto von sich und erinnern Sie sich für einige Minuten an die genaue Situation. Was haben Sie gemacht? Wie war das Wetter? Wer war an dem Tag noch da? Schreiben Sie alles auf, was Ihnen einfällt.

1. Man soll
a) ☐ schwierige Zeitungstexte lesen.
b) ☐ die Seiten in *Ja genau!* zählen.
✓ c) ☐ das Wort „und" auf einer Seite von *Ja genau!* unterstreichen.

2. Es ist schwerer,
a) ☐ wenn man das Wort aufschreibt.
✓ b) ☐ wenn man mehrere Wörter zählt.
c) ☐ wenn man die Wörter in Zeitungen zählt.

3. Man soll fernsehen und
a) ☐ sich den Inhalt von seiner Lieblingssendung merken.
✓ b) ☐ Nachrichtensendungen aus anderen Ländern sehen.
c) ☐ eine kurze Sendung auswählen.

4. Man soll immer aufstehen, wenn
✓ a) ☐ man ein bestimmtes Wort hört.
b) ☐ man seinen Namen hört.
c) ☐ die Sendung beginnt.

5. Man soll Fotos ansehen und
a) ☐ mit anderen über die Situation sprechen.
b) ☐ die Situation genau nachspielen.
✓ c) ☐ möglichst viel zu der Situation aufschreiben.

Tipp
Probieren Sie die Tipps zum Konzentrationstraining doch mal selbst!

Lernwortschatz: lernen – wünschen – bitten

interessant und nützlich

nützlich (sein) = es hilft
das Instrument: Das Klavier ist ein Musikinstrument.
das Ziel: Du willst in drei Wochen Klavierspielen lernen? Das ist kein realistisches Ziel.
motivieren: Ein realistisches Ziel kann motivieren.
der/das Kaugummi: Hättest du einen/ein Kaugummi für mich?
die Konzentration: Kaugummi ist gut für die Konzentration. Man kann besser denken ...
aufnehmen: ... und neue Informationen besser aufnehmen.
das Gehirn – damit denken wir
das Blut – fließt durch den Körper
der Ton: Es gibt so hohe Töne, dass wir sie nicht hören können.

Lerntypen

unterschiedlich: Ihr seid ganz unterschiedliche Typen. Der eine ruhig, der andere laut.
die Regel: Verstehst du die Regeln?
sogar: Ich lerne sie sogar auswendig.
mitschreiben: Ich schreibe alles mit.
die Zeichnung: Ich brauche Bilder zum Lernen und mache mir immer Zeichnungen.
sich ausdenken: Ich denke mir einen Satz aus.
herumlaufen: Wenn ich beim Wörterlernen herumlaufe, merke ich sie mir besser.
die Diskussion: Wir hatten gestern eine Diskussion über die Hausaufgaben.
kommentieren: Wenn ich den Text kommentiere, verstehe ich ihn besser.

Erfahrungen

fördern: In der Schule hat man mich nicht gut gefördert.
bekleben: Wir haben unsere Hefte immer mit Fotos beklebt.
hübsch: Das sah sehr hübsch aus.
abschalten: Ich schalte oft ab und träume.
einfallen: Mir ist im Unterricht oft nichts eingefallen.
der Ratschlag: Ich habe gute Ratschläge zum Lernen bekommen.
der Forscher /die Forscherin: Die Forscher wissen nicht alles.
der Experte/ die Expertin: Er weiß alles über das Lernen. Er ist Experte.
täuschen: Dieser Trick täuscht das Gehirn.

Ratschläge und Tipps

das Gleiche: Mach nicht jeden Tag das Gleiche. Das ist langweilig!
einzeln: Ich lerne die Wörter nicht einzeln, ich lerne sie in Themengruppen.
die Statistik: Machen Sie eine Fehlerstatistik.
das Lerntagebuch: Führen Sie ein Lerntagebuch.
die Methode: Ich wüsste eine gute Methode zum Wörterlernen.
der Trick: Lies es auf dem Kopf, das ist ein Trick.
das Wunder: Dieser Tipp wirkt Wunder.

Beim Lernen

zumachen: Mach das Buch zu und hör die CD.
die Reihenfolge: In welcher Reihenfolge?
hintereinander: Das ist egal, aber du musst es hintereinander machen, nicht gleichzeitig.
der Abschnitt: Lies die ersten zwei Abschnitte.
aussortieren: Sortieren Sie die Wörterkarten aus, die sie schon kennen.
ausprobieren: Probiere die neue Methode aus.
schalten auf: Das ist meine Lernzeit, da schaltet mein Gehirn automatisch auf Konzentration.

Wünsche und Bitten

der Wunsch: Welches ist dein größter Wunsch?
der/die Millionärin: Ich wäre gern Millionär.
anfassen: Fass den Pulli mal an. Ist der nicht weich?
sich überlegen: Könntest du dir was für die Party überlegen?
leihen: Würdest du mir dein Auto leihen?
drehen: Du musst diesen Knopf nach links drehen.
der Knopf: Da fehlen zwei Knöpfe am Hemd ...
die Brust: ... und man sieht deine Brust. Könntest du es bitte zumachen?

Zu **4** **Verkehrte Märchenwelt. Lesen Sie den Text. Korrigieren Sie die Adjektive und schreiben Sie das Märchen dann in Ihr Heft.**

böse • dünn • glücklich • hässlich • alt • klein • nass • schwarz • stark • toll • weich • wunderschön

Es war einmal ein *wunderschöner*[1] Prinz, der verliebte sich in eine *hässliche*[2] Hexe. Jeden Tag setzte er sich an den Brunnen vor dem *großen*[3] Hexenhäuschen auf ein *hartes*[4] Kissen und wartete, dass die Hexe herauskam. Aber die Hexe im Haus fragte sich: Was will dieser *junge*[5] Prinz von mir? Dann kam ein Tag, an dem es sehr *schwach*[6] regnete. Der *trockene*[7] Prinz klopfte an die Tür und sagte: „Oh, du *schreckliche*[8] Hexe, bitte, darf ich hinein? Ich liebe deine *dicke*[9] Nase!" Die Hexe wurde *lieb*[10] und warf dem Prinzen eine *weiße*[11] Kugel an den Kopf. Da verwandelte sich der Prinz in einen Teufel und die Hexe verliebte sich in ihn. Der Teufel und die Hexe lebten *traurig*[12] bis an ihr Lebensende.

Zu **5** **Lesen Sie das Märchen „Der Froschkönig" auf Seite 17 noch einmal.**
1) Ergänzen Sie die Wörter und kreuzen Sie die richtige Antwort an. 17

1. Wo spielte die Prinzessin immer?
   - a) ☐ im ______________
   - b) ☐ am ______________
2. Wen traf die Prinzessin dort?
   - a) ☐ einen ______________
   - b) ☐ ihren ______________
3. Was musste die Prinzessin ihm versprechen?
   - a) ☐ Dass er in ihrem ______________ schlafen darf.
   - b) ☐ Dass sie ihm die goldene ______________ schenkt.
4. Warum wurde die Prinzessin wütend?
   - a) ☐ Weil das Tier das ______________ nicht mochte.
   - b) ☐ Weil das Tier in ihrem ______________ schlafen wollte.
5. Was machte die Prinzessin dann?
   - a) ☐ Sie warf es an die ______________.
   - b) ☐ Sie warf es aus dem ______________.

2) Textdetektiv. Markieren Sie im Text auf Seite 17 alle Nomen. Ergänzen Sie die Tabelle.

wohnen	Personen	andere
das Schloss		

Zu **7 Die Märchensammler Jacob und Wilhelm Grimm.**

1) Lesen Sie den Text und setzen Sie die Verben ins Präteritum.

Die Gebrüder Grimm

Jacob Grimm ist am 4. Januar 1785 in Hanau als Zweites von neun Kindern geboren. Schon ein Jahr später, am 24. Februar 1786, ______________[1] (kommen) sein Bruder Wilhelm auf die Welt. Ihre Kindheit ______________[2] (verbringen) sie in Hanau, ihre Jugend in Steinau und Kassel. Dort ______________[3] (wohnen) sie bei ihrer Tante und ______________[4] (gehen) auf das Gymnasium. Sie ______________[5] (studieren) in Marburg. Danach ______________[6] (arbeiten) sie als Bibliothekar und Sekretär in Kassel. Später ______________[7] (werden) dann beide Professoren, erst in Göttingen und ab 1840 in Berlin an der Akademie der Wissenschaften. Die Brüder ______________[8] (leben) ihr ganzes Leben zusammen, auch als Wilhelm am 15. Mai 1825 Henriette Dorothea Wild ______________[9] (heiraten). Wilhelm und seine Frau ______________[10] (bekommen) vier Kinder. Schon früh ______________[11] (sammeln) die Brüder deutsche Märchen und ______________[12] (schreiben) sie auf. 1812 ______________[13] (kommen) der erste Band „Kinder- und Hausmärchen" heraus; drei Jahre später der zweite Band. Insgesamt ______________[14] (sammeln) sie mehr als 250 Märchen. Außerdem ______________[15] (arbeiten) sie gemeinsam am „Deutschen Wörterbuch". Als Jacob Grimm am 20. September 1863 in Berlin ______________[16] (sterben), ______________[17] (sein) die Brüder erst beim Buchstaben F. Das Wörterbuch ______________[18] (werden) erst 1971 fertig.

2) Lesen Sie den Text noch einmal und notieren Sie die Information zur Zahl.

1785: *Geburt von Jacob Grimm*

1786: ______________

1815: ______________

1825: ______________

1840: ______________

250: ______________

1971: ______________

Übungen ▸ Märchenwelten

Zu **8** **Knut. Der Star im Zoologischen Garten Berlin.**
Lesen Sie die Stichpunkte zum Leben vom Eisbären Knut.
Schreiben Sie einen Text im Präteritum über sein Leben.

– Knut ist ein Eisbär im Zoologischen Garten in Berlin
– am 5. 12. 2006 kommt er auf die Welt
– die Mutter nimmt ihr Baby nicht an
– der Tierpfleger Thomas Dörflein kümmert sich um das Eisbärenbaby
– die Zoobesucher interessieren sich sehr für Knut, immer mehr Besucher kommen
– Knut wird ein Star, alle Zeitungen schreiben über ihn, das Fernsehen berichtet
– zweimal am Tag gibt es eine „Knut-Show“: der Eisbär spielt und kämpft mit seinem Pfleger
– mit 7 Monaten wird Knut zu groß, es gibt keine Shows mehr
– Knut bleibt der Star im Zoo, es gibt Plakate, Tassen, T-Shirts mit Knut, Lieder über Knut und sogar eine Briefmarke
– am 19. 3. 2011 stirbt Knut, er hat eine Infektion

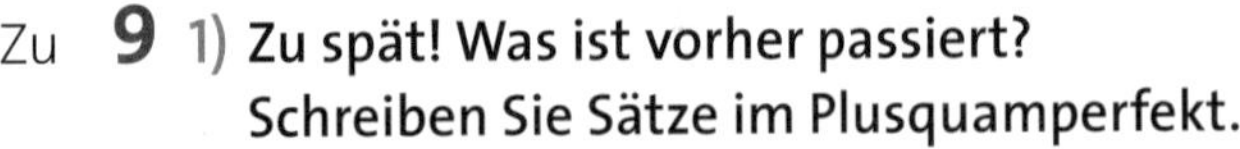

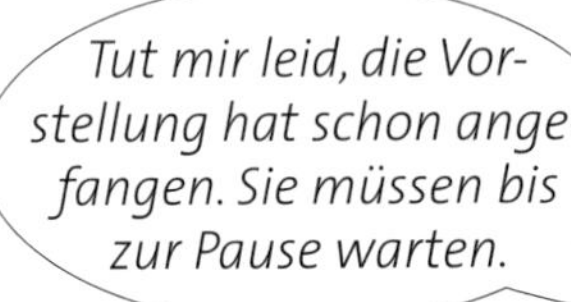

Tut mir leid, die Vorstellung hat schon angefangen. Sie müssen bis zur Pause warten.

Zu **9** 1) **Zu spät! Was ist vorher passiert?**
Schreiben Sie Sätze im Plusquamperfekt.

1. um 19 Uhr / mit der S-Bahn / in die Stadt / fahren

   Er war um 19 Uhr ______________________

2. an der falschen Haltestelle aussteigen

   ____

3. einen Mann / nach dem Weg fragen

   ____

4. der Mann / ihm / den falschen Weg erklären

   ____

5. ein Taxi zum Theater nehmen

   ____

6. mit dem Taxi 10 Minuten im Stau stehen

   ____

7. eine halbe Stunde zu spät am Theater ankommen

   ____

2) **Vom Satz zum Text. Verbinden Sie nun die Sätze mit den Wörtern zu einem Text.**
Achten Sie auf die Verbposition.

zuerst • dann • danach • aber • dann • und • schließlich

Zu **10** **Was war gestern? Schreiben Sie drei Sätze über sich selbst mit *nachdem* und Plusquamperfekt. Tauschen Sie am nächsten Tag die Sätze mit Ihrem/Ihrer Kursnachbarn/in. Der/Die andere muss raten, ob die Aussage stimmt.**

Nachdem ich gestern meine Hausaufgaben gemacht hatte, bin ich direkt ins Bett gegangen.

Zu **13** **Karaoke. Hören Sie Rolle 1 und sprechen Sie Rolle 2.**

6

Rolle 1: ....
Rolle 2: Hallo Frank. Ja gern. Hast du an einen bestimmten Film gedacht?
Rolle 1: ...
Rolle 2: Nein, aber weißt du, Zeichentrickfilme finde ich nicht so toll. Ich sehe mir lieber Komödien an.
Rolle 1: ...
Rolle 2: Ich glaube schon. Wie wäre es mit dem Film „Keinohrhasen“ mit Till Schweiger?
Rolle 1: ...
Rolle 2: Ja, aber ich habe ihn noch nicht gesehen und im Rex zeigen sie ihn nochmal.
Rolle 1: ...
Rolle 2: Morgen Abend um acht. Wenn du Lust hast, können wir vorher bei mir zusammen essen.
Rolle 1: ...
Rolle 2: Nein, nein. Das ist nicht nötig. Komm doch so gegen halb sieben, okay?
Rolle 1: ...
Rolle 2: Bis morgen. Tschüss Frank.

Tipp

Sehen Sie sich nach dem Üben den Hörtext im Anhang auf S. 148 an. Variieren Sie den Dialog und üben Sie mit einer Partnerin/einem Partner.

Zu **14** 1) **Über Kino sprechen.**
Nutzen Sie die Puzzleteile und schreiben Sie sechs Sätze.

Ich sehe gern
Mir gefallen
Aber am liebsten mag ich
Ich mag keine
Ich sehe nie

Actionfilme,
Zeichentrickfilme,
Liebesfilme,
Dokumentarfilme,
Komödien,
Fantasyfilme,

weil sie

niedlich
witzig
langweilig
lustig
aufregend
spannend
interessant
immer gleich
romantisch

sind.

2) Ein Eintrag bei facebook. Lesen Sie und kreuzen Sie das richtige Wort an.

Dir gefällt das.

Schreibe einen Kommentar ...

Ali Baba
Gestern war ich im (1) und konnte mir endlich den James Bond- Film „Ein Quantum Trost" ansehen. Ihr wisst ja, dass Daniel Craig mein (2) ist, aber diesen Film hatte ich noch nicht gesehen. Zum (3) lief er bei uns noch in einem kleinen Kino. (4) ich schon „Casino Royal" gesehen hatte, (5) ich sehr gespannt auf diesen zweiten Film mit Daniel Craig als James Bond. Habt ihr (6) schon gesehen? Der Film ist toll – ein richtiger (7) und sehr spannend. Daniel Craig ist wirklich super als James Bond. Er gefällt mir viel (8) als Pierce Brosnan. Und ihr, was habt ihr noch für Kinotipps für (9)?
Gefällt mir · Kommentieren · vor zwei Stunden

	a)	b)	c)
1.	☐ Fernsehen	☐ Kino	☐ Theater
2.	☐ Lieblingstier	☐ Lieblingsautor	☐ Lieblingsschauspieler
3.	☐ Glück	☐ Abend	☐ Programm
4.	☐ als	☐ nachdem	☐ wenn
5.	☐ war	☐ bin	☐ ist
6.	☐ es	☐ ihn	☐ sie
7.	☐ Liebesfilm	☐ Komödie	☐ Actionfilm
8.	☐ schöner	☐ besser	☐ schneller
9.	☐ mich	☐ mir	☐ euch

+ Schreiben Sie einen Facebook-Eintrag zu einem Film, den Sie gesehen haben.

Zu **15** **Klein klingt gut. Schreiben Sie den Text neu und setzen Sie die *kursiven* Wörter in den Diminutiv. Achten Sie auf den Artikel.**

Hast du *eine Stunde* Zeit? Dann können wir *eine Tasse* Kaffee und *ein Stück* Kuchen essen. Und ich zeige dir *mein neues Haus.*

Prüfungsvorbereitung

7

Hören, Teil 1
Sie hören fünf kurze Texte. Sie hören jeden Text nur einmal. Entscheiden Sie bei jedem Text, ob die Aussage richtig oder falsch ist. Kreuzen Sie an.

	richtig	falsch
1. Die Sprecherin mag Liebesfilme.	☐	☐
2. Der Sprecher liebt Actionfilme, weil sie so spannend sind.	☐	☐
3. Der Sprecher sieht Actionfilme am liebsten im Kino.	☐	☐
4. Die Sprecherin geht nur abends ins Kino.	☐	☐
5. Die Sprecherin hat alle Harry-Potter-Filme gesehen.	☐	☐

Lernwortschatz: Märchen und Filme

Das gibt es nur im Märchen

das Märchen: Meine Oma hat mir immer Märchen vorgelesen.
der Brunnen: Der Brunnen ist leer. Es gibt kein Wasser mehr.
die Kugel: Die goldene Kugel ist in den Brunnen gefallen.
die Fee: Da kam eine Fee und sagte: „Du hast drei Wünsche frei."
der Frosch: Der grüne Frosch saß auf dem Brunnen.
die Hecke: Um unseren Garten wächst eine grüne Hecke.
die Hexe: Im Märchen ist die Hexe immer böse.
böse ≠ lieb: die böse Hexe
der Prinz/die Prinzessin: Prinz William hat Kate geheiratet.
(sich) verwandeln: Der Frosch hat sich in einen Prinzen verwandelt.
weglaufen: Er sah die Hexe und lief schnell weg.
versprechen: Sie versprach ihm alles, was er wollte.
das Versprechen: Ein Versprechen muss man auch halten.
hochkommen: Sie kam die Treppe hoch.
rufen: Der Frosch rief laut: „Mach mir auf."
öffnen ≠ schließen: Die Prinzessin öffnete die Tür.
retten: Die Prinzessin hat den Froschkönig gerettet.
hereinkommen: Da kam die böse Fee herein.

Vorher und nachher

schneiden: ◂ Hast du die Hecke geschnitten?
▮ Ja, jetzt ist sie nur noch 50 cm hoch.
klingeln: Der Wecker hat dreimal geklingelt und du schläft immer noch?
nachdem: Nachdem der Wecker dreimal geklingelt hat, bin ich aufgestanden.

Stars und Sternchen

der Stern: Siehst du den hellen Stern am Himmel?, Er ist kein Star, nur ein Sternchen.
der Fantasy-Film: *Harry Potter* ist ein Fantasy-Film.
der Zeichentrickfilm: *Cinderella* ist ein Zeichentrickfilm.
der Liebesfilm: *Titanic* ist ein Liebesfilm.
die Komödie: *Der Schuh des Manitu* ist eine Komödie.
der Actionfilm: Sylvester Stallone spielte in vielen Actionfilmen.
die Reportage: Im Radio gab es eine Reportage über das Rex-Kino.
außerdem: Außerdem haben sie über die Filme gesprochen.
gehen um: Es geht um einen Mann, der unglücklich verliebt ist.
recherchieren: Hast du recherchiert, in welchen Filmen er mitgespielt hat?
schließlich: Schließlich verliebten sie sich und heirateten.
der/die Professor/in: Er ist Professor an der Film-Akademie.

Übungen ► Werte und Wünsche

Zu **1** **Welche Werte sind den Personen am wichtigsten? Hören Sie die Interviews und nummerieren Sie wie im Beispiel. Je eine Antwort passt nicht.**

8

1. Sprecherin 1, 36: [1] Kinder [3] Beruf [2] Partnerschaft [ ] Hobbys
2. Sprecherin 2, 72: [ ] eine Aufgabe [ ] Erfolg [ ] Gesundheit [ ] Familie
3. Sprecher 3, 22: [ ] Gerechtigkeit [ ] Freiheit [ ] Bildung [ ] Frieden
4. Sprecher 4, 39: [ ] Partnerschaft [ ] Kinder [ ] Geld [ ] Erfolg

Zu **3** **Was glauben Sie, was macht einen Menschen glücklich? Schauen Sie sich die Statistik an und ergänzen Sie die Informationen im Text.**

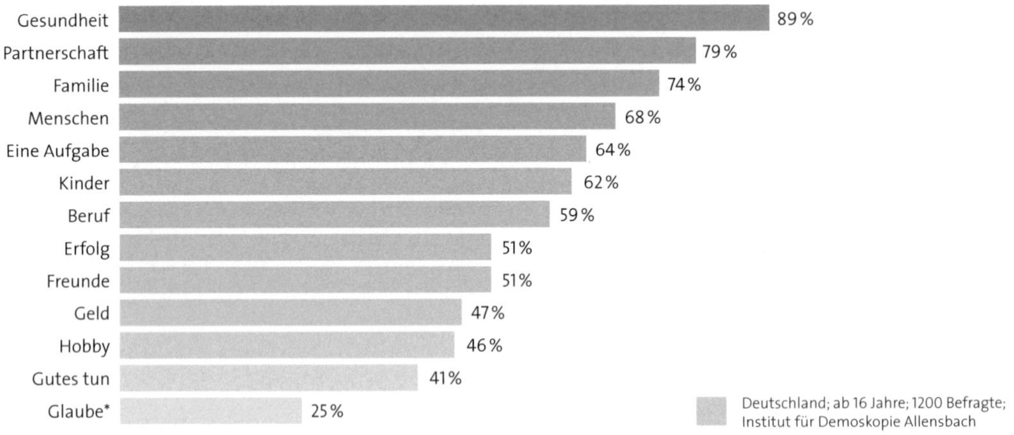

Gesundheit	89 %
Partnerschaft	79 %
Familie	74 %
Menschen	68 %
Eine Aufgabe	64 %
Kinder	62 %
Beruf	59 %
Erfolg	51 %
Freunde	51 %
Geld	47 %
Hobby	46 %
Gutes tun	41 %
Glaube*	25 %

Deutschland; ab 16 Jahre; 1200 Befragte; Institut für Demoskopie Allensbach

* der Glaube: die Religion; an Gott / Allah / Buddha etc. glauben

An dieser Umfrage nahmen 1200 deutsche Frauen und Männer ab 16 Jahren teil. Man hat sie gefragt, was ihrer Meinung nach einen Menschen glücklich macht. An erster Stelle steht für die meisten Befragten die ______[1]. Auf Platz 2 folgt der oder die Partner/Partnerin[2]. ______[3] Prozent meinen, dass eine Familie glücklich macht, und für 62 % bedeuten ______[4] Glück. Aber auch der Beruf[5] gehört für 59 % der Befragten zu einem glücklichen Leben. Für etwa die Hälfte sind ______[6] und ______[7] wichtig. ______[8] Prozent macht Geld glücklich. 46 % glauben, dass man ein ______[9] braucht. An letzter Stelle steht der ______[10] mit nur ______[11] Prozent.

Und Sie? Welche drei Dinge machen Sie glücklich? Schreiben Sie einen kurzen Text und begründen Sie Ihre Entscheidung.

Mich macht Geld glücklich, weil ich mir dann alles kaufen kann.

Zu **4** 1) **Lesen Sie die Reaktionen. Dann hören Sie die Äußerungen und reagieren Sie spontan mit einem von den drei Sätzen.**

9

Auf einer Party gehe ich immer, wenn es am schönsten ist. Denn danach kann es nur noch langweilig werden.

Stimmt! Das sehe ich auch so.

Das ist doch Unsinn!

Das finde ich nicht.

2) **Stimmt das? Was meinen Sie? Wählen Sie eine Äußerung aus und schreiben Sie einen kurzen Text. Die Redemittel auf Seite 27 helfen.** 27

„Ich finde, dass man heute viel zu viel über Geld redet. Über Geld spricht man nicht!"

„Glück kann man lernen. Wer unglücklich ist, ist selbst schuld."

Zu **5** 1) **Macht Geld glücklich? Lesen Sie den Text auf S. 28/29 noch einmal und beantworten Sie die Fragen.**

1. Was macht Karl Rabeder wirklich glücklich?
2. Was ist *MyMicroCredit*?
3. Wann hat Karl Rabeder den Verein gegründet?
4. Wie hat Karl Rabeder Geld für den Verein gesammelt?
5. Wie viel Geld pro Monat braucht Karl Rabeder heute?
6. Was macht er heute?

2) **Was passt? Verbinden Sie.**

1. jmd. gründet etw.
2. jmd. verlost etw.
3. jmd. beschließt etw.
4. jmd. engagiert sich für etw.
5. jmd. finanziert etw.

a) Karin M. hat sich entschieden: Sie will Unternehmerin sein!
b) Sie hat mit ganzer Kraft für ihren Plan gearbeitet.
c) Ihr Onkel hat ihr geholfen und ihr etwas Geld geliehen.
d) Gestern hat sie ihre eigene Reinigungsfirma aufgemacht.
e) Auf der Eröffnungsfeier konnte man einen Gutschein für einen Wohnungsputz gewinnen.

3) **Wiederholung Präteritum. Unterstreichen Sie alle Präteritumformen in den Texen auf S. 28/29. Notieren Sie sie mit Infinitiv und Partizip in einer Tabelle.**

Infinitiv	Präteritum	Partizip II
finanzieren	finanzierte	finanziert

4) Herrn Rabeders Geschichte. Bringen Sie die Stichworte in die richtige Reihenfolge.

a) ist mit 30 Millionär • b) finanziert sein Studium selbst • c) möchte von 1000 Euro im Monat leben • d) gründet *MyMicroCredit* • e) merkt, das Geld allein nicht glücklich macht • f) engagiert sich in Lateinamerika • g) verkauft 2004 seine Firma • h) verlost seine Villa • i) gründet eine Firma

5) Schreiben Sie mit den Stichwörtern aus 4) eine Zusammenfassung im Präteritum. Die Satzanfänge helfen Ihnen.

1. Als Student ...
2. Nach dem Studium ...
3. Schon ...
4. Aber ...
5. Deshalb ...
6. Schließlich ...
7. Vier Jahre später ...
8. Danach ...
9. Heute ...

1. Als Student finanzierte Herr Rabeder sein Studium selbst.

Zu **8** **Wie, was, warum? Daniel und Sofie haben Streit und Daniel will alles wissen. Schreiben Sie indirekte Fragen wie im Beispiel.**

1. Warum hast du nicht zurückgerufen?
2. Wo warst du gestern?
3. Wann bist du nach Hause gekommen?
4. Wie bist du nach Hause gekommen?
5. Was hast du gemacht?
6. Wen hast du getroffen?

1. Daniel will wissen, warum Sofie nicht zurückgerufen hat.

Zu **11** **Wann steht der Infinitiv mit *zu*? Sortieren Sie die Ausdrücke in einer Tabelle.**

(keine) Lust haben • beschließen • es ist anstrengend • den Wunsch haben • es ist wichtig • beginnen • versuchen • vergessen • (keine) Zeit haben • aufhören • es ist schön • hoffen • es ist schwierig • gefallen • anfangen

Ausdrücke mit Nomen	Verben	Ausdrücke mit Adjektiven
(keine) Lust haben	*beschließen*	*es ist anstrengend*
...	...	...

Zu **12** 1) Infinitiv mit *zu*. Schreiben Sie.

1. im Sommer ins Freibad gehen: Es ist schön, ____________________
2. Filme im Kino ansehen: Es gefällt mir, ____________________
3. immer nur nett sein: Es ist anstrengend, ____________________
4. meinen Chef anrufen: Ich habe Angst, ____________________
5. den Termin nicht vergessen: Ich versuche, ____________________
6. mir Sorgen machen: Ich fing an, ____________________
7. heute noch einkaufen: Ich habe keine Zeit, ____________________
8. ins Büro gehen: Ich habe keine Lust, ____________________
9. in den Urlaub fahren: Ich habe Lust, ____________________
10. den Fernseher ausschalten: Ich habe vergessen, ____________________

2) Variieren Sie jeden Satz aus 1).

Es ist schön, mit dir zu reden.

10

3) Sprachschatten. *Ich habe keine Lust, ...* Hören und reagieren Sie wie im Beispiel.

Ich habe keine Lust, ins Theater zu gehen.

Was? Du hast keine Lust, ins Theater zu gehen?

Zu **17** Was hören Sie? Kreuzen Sie an.

11

1. Tier ☐	dir ☐	5. Bar ☐	Paar ☐
2. Garten ☐	Karten ☐	6. ticken ☐	dicken ☐
3. gern ☐	Kern ☐	7. Pass ☐	Bass ☐
4. Blatt ☐	platt ☐	8. Gabel ☐	Kabel ☐

Übungen ► Werte und Wünsche

Prüfungsvorbereitung

Lesen, Teil 1
Glücksmomente. Lesen Sie zuerst die fünf Texte und dann die acht Überschriften. Welche Überschrift passt zu welchem Text? Ordnen Sie zu. Sie dürfen pro Text nur eine Überschrift zuordnen.

Forum Glück und Lebensfreude
Thema: Glücksmomente im Alltag

1. SUSANNE FUNKE, **Gingst (Rügen) // 31. August 2011 um 14:00 Uhr**
Vor fünf Jahren haben mein Mann und ich unsere Jobs in München gekündigt und sind in ein altes Bauernhaus auf Rügen gezogen. Die tägliche S-Bahn-Fahrt zur Arbeit und den stressigen Büroalltag haben wir gegen das Landleben getauscht. Wenn wir heute in der Sonne auf unserer Terrasse sitzen und zusammen auf unser Bauernhaus schauen, dann könnte ich vor Glück laut lachen. ☐

2. RENI NIGGLI, **Basel // 30. August 2011 um 13:00 Uhr**
Videotelefonieren übers Internet: Einmal in der Woche extra früh aufstehen, damit ich mit meinem Liebsten in Los Angeles sprechen kann. Und ihn sehen. Das macht die Entfernung nicht kleiner, aber leichter. ☐

3. JUTTA KLEGER, **Zürich // 29. August 2011 um 18:00 Uhr**
Wenn ich mich abends – die Kinder sind im Bett – mit meiner Nachbarin zu einem Klönschnack bei einem Glas Wein und der einzigen Zigarette am Tag auf dem Balkon treffe. Dieser Luxus: Zeit für uns selbst. Und der Gedanke, dass meine Nachbarin genau das hier lesen und laut lachen wird. ☐

4. LILLY WELS, **Ulm // 27. August 2011 um 8:00 Uhr**
In meine Lieblingsstadt Graz zu reisen, dort im Café Sacher zu sitzen und einen hausgemachten warmen Apfelstrudel und dazu eine heiße Schokolade mit Sahne genießen zu können. Ein Ort, der mir Kraft und Hoffnung schenkt. ☐

5. ACHIM HOIER, **Kaarst (Rügen) // 26. August 2011 um 10:30 Uhr**
Unser Auto ist kaputt, seit zwei Wochen, der Fehler unauffindbar. Also machen wir alles mit dem Fahrrad, auch den Einkauf. Alles braucht viel mehr Zeit. Und plötzlich scheint es, als hätten wir viel davon: Zeit! ☐

a) Der Traum vom Leben in der Großstadt
b) Mit dem Fahrrad zu mehr Zeit
c) Ein wunderbares Café in Ulm
d) Die Kinder bei der Nachbarin
e) Genießen in Graz
f) Gemütlicher Abend auf dem Balkon
g) Endlich auf dem Land
h) Dem Liebsten nah sein

Und was macht Ihr Leben glücklicher? Schreiben Sie einen kurzen Forumsbeitrag. Schreiben Sie ihn auf einen Zettel. Falten Sie den Zettel. Lesen Sie gemeinsam im Kurs und raten Sie, wer was geschrieben hat.

Lernwortschatz: Was ist Lebensqualität?

Was ist Lebensqualität?

der Wert: Freiheit ist für mich der wichtigste Wert im Leben.
die Freundschaft: Für mich ist unsere Freundschaft am wichtigsten.
die Bildung: Eine gute Bildung ist wichtig, wenn man einen guten Job haben möchte.
die Demokratie: In einer Demokratie lebt man in Freiheit.
die Gerechtigkeit: Sorgen mehr Gesetze für mehr Gerechtigkeit?
der Frieden ≠ der Krieg: Wir leben im Frieden.
die Sicherheit: Deshalb leben wir in größerer Sicherheit als unsere Großeltern.
der Glaube: der Glaube an Gott
demonstrieren: Sie demonstrieren gegen die Atomkraftwerke.
sorgen für = sich kümmern um
der Staat / die Regierung: Der Staat muss für eine gute Bildung sorgen.

Alles ganz wirtschaftlich

europäisch: Paris, London und Wien sind europäische Städte.
belegen: Sydney belegt den 10. Platz in der Statistik zur Lebensqualität.
das Unternehmen = die Firma
bestimmt: Denkst du an ein bestimmtes Unternehmen?
international: Frankfurt hat einen internationalen Flughafen.
feststellen: Ich habe festgestellt, dass ...
das Angebot: ... das Verkehrsangebot in Zürich sehr gut ist.
wirtschaftlich: Die wirtschaftliche Situation ist in Wien sehr gut.
finanzieren: Er finanzierte sein Studium selbst.
gründen: Er gründete seine eigene Firma.

zustimmen und ablehnen

halten von: Davon halte ich nicht viel.
überhaupt: Das stimmt überhaupt nicht.
der Unsinn: Das ist doch Unsinn!
die Vermutung: Ich habe die Vermutung, dass das nicht stimmt.

Macht Luxus glücklich?

die Tour: Wir machten eine Hubschrauber-Tour über die Alpen.
zurückkommen: Wann seid ihr zurückgekommen?
das Gegenteil / im Gegenteil: Luxus macht nicht immer glücklich. Im Gegenteil: Viele Reiche sind unglücklich.
satt: Nach dem Essen war ich total satt.
beschließen: Er beschloss, sein Leben zu ändern.
der Besitz: Er verkaufte seinen Besitz.
die Presse: In der Presse konnte man viel über ihn lesen.
verlosen: Er hat seine Villa verlost.
das Los: Man konnte Lose kaufen.
das Zuhause: Er verkaufte sein Zuhause, eine große Villa.
die Fläche: Sein Haus hat eine Wohnfläche von 100 Quadratmetern.
der Grund: Warum hat er sein Haus verkauft? Was ist der Grund?
zurückgeben: Er wollte den Menschen etwas zurückgeben.
auschlafen: Ich kann jeden Tag ausschlafen, weil ich nicht arbeiten muss.
ausmachen: Wer macht das Licht aus?

Diskussionen und Argumente

für/gegen etwas sein: Ich bin gegen eine Lärmschutzmauer.
die Mauer: Sie bauten eine Mauer um das Haus.
der Kompromiss: Bei einem Streit sollte man besser einen Kompromiss finden.
hinausgehen: Dann können wir mit den Kindern ja nicht mehr hinausgehen!
der Journalist/die Journalistin: Er arbeitet bei der Zeitung und ist ein bekannter Journalist.
verbieten: Hausaufgaben sollte man verbieten.
Pro und Kontra: Hast du deine Pro- und Kontra-Argumente gesammelt?

Übungen ▸ Klima und Umwelt

Zu **1** 1) **Was passt zusammen? Verbinden Sie.**

1. Wind-	a) berge
2. Energie-	b) parks
3. Klima-	c) schlangen
4. Müll-	d) verbrauch
5. Auto-	e) wandel

2) **Lesen Sie den Text und kontrollieren Sie Ihre Lösung zu 1). Ergänzen Sie die Verben.**

ändern • sehen • ~~verändern~~ • wachsen • werden

Es gilt heute als sicher, dass das Klima sich _verändert_ [1]. Der Klimawandel hat viele Gründe. Aber besonders der hohe Energieverbrauch in der westlichen Welt ist ein Problem. Die Müllberge ____________ [2], die Autoschlangen ____________ [3] immer länger und das CO_2, das dabei entsteht, ist für die Erde sehr gefährlich. Ein sichtbares Zeichen für den Versuch, dies zu ____________ [4] sind die vielen Windparks, die man heute immer öfters ____________ [5].

Zu **2** 1) **Wetterwörter. Finden Sie zu jedem Nomen ein Adjektiv oder ein Verb.**

1. Wind ________ 2. Sonne ________ 3. Wolke ________ 4. Schnee ________ 5. Sturm ________ 6. Regen ________

12

2) **Wie wird das Wetter morgen? Hören Sie zu und ergänzen Sie die Temperaturen.**

12

3) **Wo gibt es ...? Hören Sie noch einmal und kreuzen Sie an.**

Ort		Sonne	Regen	Wind	Wolken
Steiermark	23	☐	☐	☐	☐
Burgenland	29	☐	☐	☐	☐
Wien	21	☐	☐	☐	☐
Kärnten	28	☐	☐	☐	☐
Salzburg	24	☐	☐	☐	☐
Tirol	26	☐	☐	☐	☐

Zu **3** **1) Ordnen Sie die Verben den Fragen zu. Der Text auf Seite 37 hilft.**

1. Wann [e] der Wecker?
2. Wie viel CO_2 [ ] eine Eiche im Jahr?
3. Was macht unser Klimaheld morgens alles nicht, um Strom zu [ ]?
4. Wie viel Geld [ ] er bei seinem Großeinkauf [ ]?
5. Was [ ] er per Funk?
6. Welche Lämpchen [ ] immer noch?
7. Warum kann unser Klimaheld nicht [ ]?
8. Was [ ] man auf der Seite *klimaretter.info* [ ]?
9. Wobei möchte unser Klimaheld [ ]?

a) bindet
b) einschlafen
c) gibt ... aus
d) gibt ... zu
e) klingelt
f) leuchten
g) mitmachen
h) steuert
i) sparen

2) Lesen Sie den Text auf Seite 37 noch einmal und beantworten Sie die Fragen in 1). 37

1. Der Wecker klingelt um ...

Zu **4** **Wozu? Schreiben Sie Sätze mit *um ... zu*.**

pünktlich aufwachen
den Zug bekommen
ihn in den Koffer packen

1. Du musst den Wecker stellen, ______________________.
2. Denn wir müssen um acht los, ______________________.
3. Ist dein Anzug fertig, ______________________?

den Termin verschieben
es nicht vergessen
schnell noch einkaufen

Ich arbeite, um zu leben

4. Haben Sie den Kunden angerufen, ______________________?
5. Bitte schreiben Sie sich das auf, ______________________.
6. Entschuldigung, aber ich muss jetzt gehen, ______________________.

Zu **5** **Verzicht. Worauf könnten Sie verzichten? Schreiben Sie Sätze wie im Beispiel.**

Um die Umwelt zu schützen, könnte ich auf Fleisch verzichten.

Wozu?	**Verzicht:**
Umwelt schützen	Auto / Fliegen / ...
Geld sparen	Handy / ...
gesünder leben	Alkohol / Computerspiele / Fleisch / ...
Energie sparen	Heizung / Fernseher / Geschirrspüler
mehr Zeit haben	Arbeit / Sport / Fernsehen / E-Mails

Zu **6** 1) **Delfine in der Stadt? Lesen Sie den Text und entscheiden Sie: *um* + *zu* oder *damit* (ohne *zu*)? Schreiben Sie den Text in Ihr Heft.**

Streit um neue Delfin-Lagune

Nach 35 Monaten Bauzeit konnte der Nürnberger Zoo am Wochenende die erste Außenanlage[1] für Delfine in ganz D A CH eröffnen. Man hat sie gebaut, (?) die Tiere im Zoo mehr Platz (?) haben und (?) sie Sonne und Regen erleben (?) können. Hunderte von Besuchern kamen zur Eröffnung und waren begeistert, denn so können sie die intelligenten Tiere besser beobachten. Aber es kamen auch viele Personen, (?) gegen die

Anlage (?) protestieren. Ungefähr 20 Tierschützer warteten am Eingang, (?) den Besuchern (?) erklären, warum sie gegen die Anlage sind. Sie hatten sich in Badewannen gesetzt, (?) zeigen, wie wenig Bewegungsfreiheit die Tiere in ihrem Becken haben. Sie verteilten auch Flugblätter[2], (?) die Besucher mehr über die Bedürfnisse[3] von Delfinen (?) wissen. Denn ihrer Meinung nach reicht mehr Platz allein nicht, (?) die Delfine ein gutes Leben (?) haben. Die Tierschützer haben auch schon mit Erfolg vor Gericht gegen die Haltung[4] von Delfinen in Zoos gekämpft. Andere Zoos in Deutschland haben deshalb ihre Anlagen geschlossen.

Legende 1: die Außenanlage, hier: ein Pool, der draußen ist 2: das Flugblatt: ein Papier mit politischem Inhalt 3: das Bedürfnis: was man braucht 4: die Haltung: man hält ein Tier = man hat es

2) **Richtig oder falsch? Lesen Sie den Artikel noch einmal und kreuzen Sie an.**

	richtig	falsch
1. Der Nürnberger Zoo hat jetzt auch Delfine.	☐	☐
2. Tierschützer organisierten einen Protest am Eingang.	☐	☐
3. Die Flugblätter beschreiben, wie Delfine am besten leben sollten.	☐	☐
4. Fast alle Zoos in Deutschland haben Delfine.	☐	☐

3) **Ist die Außenanlage gut oder schlecht? Sammeln Sie die Argumente aus dem Artikel.**

gut	schlecht

+ Wie ist Ihre Meinung dazu? Schreiben Sie einen Text.

Zu **9** **Konsonantendiktat. Hören und ergänzen Sie.**

13

Die ______________________[1] „Menschen für Tierrechte Nürnberg e. V."
______________________[2] gegen die Lagune im Tiergarten. 20 ______________________[3]
haben am Samstag ______________________[4] verteilt und für die ______________________[5]
im Tierreich ______________________[6].

Zu **10** Die höchsten Berge in D A CH. Wiederholung Steigerungsformen.

40

1) Unterstreichen Sie im Text auf Seite 40 alle Steigerungsformen. Dann tragen Sie sie in eine Tabelle ein wie im Beispiel.

Grundform	Komparativ	Superlativ
hoch		

2) Ergänzen Sie den Text mit den Superlativen.

Das Schönste vom Großglockner

Der Großglockner (3.798 m) ist der ______________ (hoch)[1] Berg in Österreich. Dort hat man 1799 die erste alpine Schutzhütte gebaut und den ______________ (alt)[2] Bergführerverein Österreichs gegründet. In den 30er Jahren hat man dort auch die ______________ (schön)[3] Panoramastraße gebaut. Der Nationalpark Hohe Tauern, in dem der Großglockner liegt, ist mit 1.836 km² der ______________ (groß)[4] Nationalpark in den Alpen.

+ Die höchsten Berge in D A CH. Die aus Deutschland und Österreich kennen Sie schon. Finden Sie heraus, welcher Berg in der Schweiz am höchsten ist.

Zu **12** Relativsätze. Aus zwei mach einen. Verbinden Sie die Sätze mit einem Relativpronomen. Kontrollieren Sie Ihre Lösung mit dem Text auf Seite 40.

1. Der Gletscher ist stark geschmolzen. Der Gletscher bekommt einen Schutz aus Folien.

   ____

   ____

2. Die Folien wiegen 130 Kilo. Die Folien sind fünf Meter breit und 30 Meter lang.

   ____

   ____

3. Die Arbeiter machen den Gletscher mit Folie sommerfest. Der Gletscher hat zwei Meter weniger Schnee als normalerweise.

   ____

   ____

4. Viele Touristen besuchen das Zugspitzplatt. Das Zugspitzplatt ist ein sehr beliebtes Skigebiet.

   ____

   ____

Übungen ▸ Klima und Umwelt

Zu 13 Relativsätze mit Dativ. Schreiben Sie den Dialog mit Relativsätzen in Ihr Heft.

- Der Sturm muss schlimm gewesen sein. Man hat gestern von dem Sturm im Radio gehört.
- Ja, mein Freund Mike und ich sind in den Sturm gekommen. Ich war mit Mike klettern. Aber wir haben es zu einer Schutzhütte geschafft. In der Schutzhütte war es dann sehr gemütlich.

Der Sturm, von dem man gestern ...

Zu 14 1) Urlaub in den Bergen. Lesen Sie den Text und ergänzen sie das Relativpronomen im Dativ.

1. Martin ist begeisterter Skifahrer, aber Melanie, mit ____der____ Martin seit einem Jahr zusammen ist, mag Wintersport nicht so gern.
2. Melanie fährt am liebsten im Sommer in die Berge, von ____denen____ sie dann gar nicht genug bekommen kann.
3. Deshalb fahren sie diesen Sommer zusammen in das Alpendorf, in ____dem____ Melanie schon als Kind oft gewesen ist.
4. Beim Essen reden sie lange über den Berg, auf ____dem____ sie morgen ein Picknick machen wollen. Hoffentlich regnet es nicht!

2) Wiederholung: Verben mit Präpositionen. Ergänzen Sie.

Liebe ...,

meine Freunde Melanie und Martin wohnen für zwei Wochen in einer Berghütte im Salzburger Land. Was hältst du ____von____ [1] einem Besuch bei ihnen? Ich habe schon so lange nichts ____von____ [2] ihnen gehört. Sie würden sich sicher ____über____ [3] unseren Besuch freuen und man kann sich wunderbar ____mit____ [4] ihnen unterhalten.

Ich habe Martin schon mal geschrieben, um zu fragen, ob sie am Wochenende Zeit ____für____ [5] uns haben, aber er hat noch nicht ____auf____ [6] die E-Mail reagiert. Wenn es klappt, hättest du Lust, mitzukommen?

Dein Jan

Prüfungsvorbereitung

Schriftlicher Ausdruck.
Antworten Sie auf die Einladung in 14.2). Schreiben Sie eine E-Mail, die folgende vier Punkte enthält:

– wie alt die Freunde sind und was sie gerne machen / – wie groß die Hütte ist / – wie Sie sich auf die Reise vorbereiten sollen / – welche Kleidung Sie mitnehmen sollten

Überlegen Sie sich eine passende Reihenfolge, eine passende Einleitung und einen passenden Schluss. Denken Sie an die Anrede.

Lernwortschatz: Klimawandel und Umweltschutz

Schon vom Klimawandel gehört?

das Klima: Wir haben hier ein mildes Klima.
die Wüste – heiß und trocken
extrem: In einer Wüste gibt es extreme Temperaturen und wenig Wasser.
entstehen: Es regnete nicht und dann ist hier eine Wüste entstanden.
die Panik: Keine Panik, alles wird gut.

Wir sind Helden ...

schützen: ... und wollen die Umwelt schützen.
konsequent: Aber es ist nicht leicht, konsequent zu sein.
der Held/die Heldin: Wir brauchen Helden, die die Welt retten.
der Retter/die Retterin – Mensch, der jemanden oder etwas rettet
der Schutz: Klimaschutz ist ein großes Thema.
analysieren: Hast du schon mal deinen Stromverbrauch analysiert?
unglaublich: Es ist unglaublich, wie viel Strom man spart ...
der Deckel: ... wenn der Deckel genau auf den Topf passt.
heizen: Ich heize nicht mehr so viel.
frieren: Deshalb friere ich den ganzen Tag.
verzichten auf: Ich kann auf mein Auto nicht verzichten.
steuern: Das Auto kann man per Funk steuern.
ausschalten: Schalte den Fernseher öfters aus.
trennen: Du musst die Verbindung trennen.
das Gewissen: Er hat ein schlechtes Gewissen.
zugeben: Aber er gibt seine Fehler zu.
der Keller: Diese Wohnung hat keinen Keller.
stinken: Hier stinkt's! = Es riecht schlecht.

rund um die Uhr

rund um: Sie arbeitet rund um die Uhr.
der Großeinkauf: Wir machen heute unseren wöchentlichen Großeinkauf.
circa: Wir kommen in circa einer Stunde wieder.
wöchentlich:Es gibt eine wöchentliche Kontrolle.
monatlich: Wir zahlen den Strom monatlich.
jährlich: Ich zahle nur einmal jährlich.
folgend: Im folgenden Jahr will ich sparen.

Arbeiten am Berg und zu Hause

die Folie: Ich habe das Brot in Folie eingepackt.
breit: Wie breit ist die Folie? – 20 cm.
abdecken: Hast du den Salat abgedeckt?
das Picknick: Wir machen ein Picknick im Park.
binden: Du musst die Soße mit Mehl binden.
dem Ende zugehen: Die Arbeiten gehen dem Ende zu.

Was ist das für eine Organisation?

hinweisen auf: Diese Organisation weist seit Jahren auf den Klimawandel hin ...
steigen: ... und sagt, dass die Temperaturen weiter steigen.
das Interesse: Der Umweltschutz liegt in ihrem Interesse.
dafür # dagegen: Sie sind dagegen, dass wir immer mehr Energie verbrauchen.
fordern: Sie fordern, den Klimawandel zu stoppen.
besonderer/s/e: Wir müssen besondere Maßnahmen einleiten.
begeistern für: Ich kann Sie doch für unser Engagement begeistern?

Tipp

Machen Sie sich Lernkarten für die Verben mit Präpositionen.

reagieren auf + Akkusativ
Er reagiert nicht auf meine Bitte.

hören von + Dativ
Hast du heute schon von ihm gehört?

Zu **1** 1) **Musik. Was verbinden Sie mit diesen Wörtern? Schreiben Sie wie im Beispiel.**

```
        K                              R        O
     A  L  T                           O        P
  K  R  A  F  T                        C        E
  M  U  S  I  K                        K        R
        S  C  H  Ö  N
  F  E  I  N
        K  L  A  V  I  E  R
```

2) **Kulturalltag. Was passt nicht? Lesen Sie und streichen Sie durch. Schreiben Sie Nummer 3 weiter und „verstecken" Sie auch eine Handlung, die nicht passt. Bringen Sie Ihren Satz mit in den Kurs. Die anderen raten.**

1. Ich gehe ins Theater. Ich komme zu spät. Ich gebe meinen Mantel an der Garderobe ab. Ich suche meinen Platz. Ich muss die anderen stören. Ich klatsche. Ich werde rot. Ich setze mich leise auf meinen Platz.
2. Ich fahre in die Oper. Ich warte in der Schlange. Ich kaufe eine Karte. Ich rufe ein Taxi. Ich genieße die Musik.
3. Ich gehe durch die Ausstellung. Ich ______________________________

____

Zu **2** **Wozu reisen? Wiederholung: Infinitiv mit *um ... zu*. Schreiben Sie Sätze wie im Beispiel.**

1. Sie reist, um eine fremde Sprache zu sprechen.

1. eine fremde Sprache sprechen
2. fremde Lieder hören
3. Geschichte sehen und erleben
4. an kulturellen Festen teilnehmen
5. im Zug in Ruhe ein Buch lesen
6. nach der Reise ihre Freunde zu einem netten Fotoabend einladen
7. nette Leute kennenlernen

Und wozu reisen Sie? Schreiben Sie weitere Sätze.

Zu **3** 1) **Wer spricht? Hören Sie und kreuzen Sie die passende Person an.**

14

A ☐

B ☐

14

2) Hören Sie noch einmal und ergänzen Sie den Kalender von Marie.

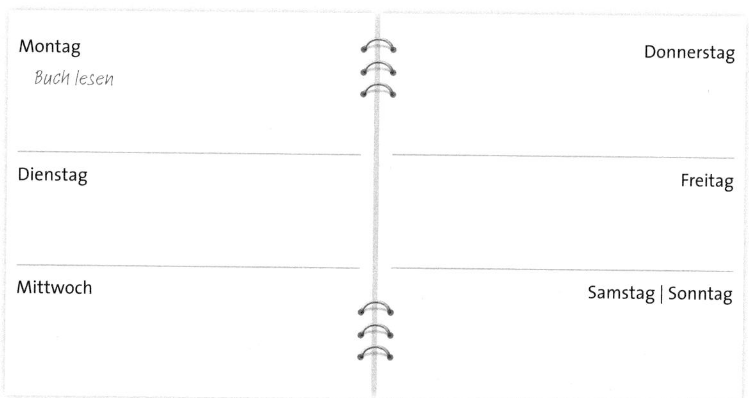

3) Was wollten die Anrufer von Marie wissen? Lesen Sie ihre Antworten und notieren Sie die Fragen.

1. Wie oft gehst du ins Kino? – Ich liebe Filme und gehe fast jede Woche ins Kino.
2. Was lesen Sie am liebsten? – Am liebsten lese ich Krimis und historische Romane.
3. Seit wann spielst du am Klavier? – Seit 20 Jahren. Meine Eltern haben mich schon als Kind zum Klavierunterricht geschickt.
4. Was für Musik hören Sie am liebsten? – Ich mag am liebsten klassische Musik, aber natürlich höre ich auch Rock und Pop.
5. Hast du in letzter Zeit etwas im Theater gesehen? – Vor drei Wochen habe ich „Othello“ im Deutschen Theater gesehen. Das war eine sehr gute Aufführung!
6. Hast du im Sommer etwas Kulturell gemacht? – Im Sommer bin ich zu den Salzburger Festspielen nach Österreich gefahren. Da habe ich viele Konzerte und Theaterstücke gesehen.

+ Schreiben Sie für die andere Frau aus 1) auch einen kulturellen Wochenplan.

Zu **4**

1) Kulturelles Leben. Bei welcher Veranstaltung waren die Personen? Lesen Sie die Berichte und ordnen Sie ihnen die passenden Artikel auf Seite 47 zu.

47

a) ☐ „Das war das erste Mal, dass ich meine Lieblingsband live gesehen habe. Ein tolles Erlebnis, das ich sehr genossen habe! Die anderen Gruppen waren auch super. Meine Freunde und ich hatten viel Spaß, aber nach drei Tagen Camping sind wir nun auch sehr müde.“

b) ☐ „Ich stand lange in der Schlange, um noch Karten zu bekommen, aber es hat sich gelohnt. Ich habe tolle Filme gesehen und konnte sogar ein paar Fotos von berühmten Schauspielern machen. Ich bin gespannt, wer dieses Jahr den Wettbewerb gewinnt.“

c) ☐ „Mein Mann und ich waren das erste Mal hier. Wir interessieren uns beide sehr für klassische Musik und haben einige wunderschöne Aufführungen gesehen. Aber auch das Theaterprogramm war interessant. Ich habe mich in die Stadt verliebt und komme sicher im nächsten Jahr wieder!“

2) Filmfestspiele. Richtig oder falsch? Lesen Sie den Artikel und kreuzen Sie an.

Hinter den Kulissen der Berlinale

Volker Daehn kennt sie alle – die Großen und Schönen im Filmgeschäft. Seit Jahren kümmert sich seine Firma Busch-Daehn-Veranstaltungsservice um die Internationalen Filmfestspiele in Berlin und ist u. a. verantwortlich für den Ticketverkauf, den Einlass, die Garderobe und den Getränkeverkauf.

Damit die Berlinale jedes Jahr im Februar starten kann, sind seine Mitarbeiter und Mitarbeiterinnen ab November mit den Vorbereitungen beschäftigt. An jedem Festivaltag arbeiten dann 300 Personen für ihn, die man an ihren schwarzroten Uniformen erkennt.

Die Arbeit ist aufregend und anstrengend und es gibt immer wieder größere und kleinere Probleme. Besonders viel Streit gibt es jedes Jahr beim Einlass: „Manchmal kommen so viele Akkreditierte* zu einer Vorstellung, dass nicht alle Leute, die eine Karte gekauft haben, einen Platz bekommen. Die sind dann natürlich sauer."

Ab und zu gibt es auch mal peinliche Situationen. Volker Daehn erinnert sich da besonders an eine Szene: „Einmal sollte bei der feierlichen Premiere ein sehr teurer amerikanischer Film laufen. Das Licht ging aus, der Film fing an, aber schon nach einigen Minuten wurde es unruhig: Der Film lief rückwärts. Auch beim zweiten Versuch klappte es nicht und es dauerte lange, bis der Film endlich lief. Das war sehr unangenehm, aber heute können wir darüber lachen."

* Akkreditierte = Menschen, die beruflich mit dem Festival zu tun haben: Journalisten, Filmverleiher u.a.

	richtig	falsch
1. Volker Daehn hat einen Veranstaltungs-Service.	☐	☐
2. Man erkennt seine Mitarbeiter/innen an der Kleidung.	☐	☐
3. Die Berlinale findet jedes Jahr im November statt.	☐	☐
4. Bei manchen Vorstellungen gibt es nicht genug Plätze für alle Zuschauer.	☐	☐
5. Einmal fing der Film an und man hörte nichts.	☐	☐

Zu **5** **1) Verben mit Präpositionen. Wie heißt die passende Präposition? Ordnen Sie die Verben in die Tabelle ein. Manchmal gibt es mehrere Möglichkeiten.**

sich freuen, warten, gehören, sich treffen, sich verabreden, sich engagieren, denken, träumen, sich ärgern, sich erinnern, sich verstehen, achten, aufpassen, diskutieren, sich einigen, hoffen, sich interessieren, sich konzentrieren, reagieren, sich unterhalten, gratulieren

an	auf	für	mit	über	von	zu
	sich freuen auf (A)			sich freuen über (A)		

2) Dativ oder Akkusativ? Schreiben Sie in der Tabelle aus 1) ein „D" oder ein „A" hinter jedes Verb.

Schreiben Sie Sätze zu den Verben mit Präpositionen. Tauschen Sie Ihre Sätze im Kurs.

3) Unterstreichen Sie die Präpositionen. Sache oder Person? Ergänzen Sie die Fragen.

1. Ich interessiere mich sehr für das Theater. Und du, *wofür* interessierst du dich?
2. __________ wartest du? – Ich warte auf meine Freundin, wir wollen ins Kino.
3. Meine Freunde und ich sprechen oft über Literatur. Und __________ sprecht ihr gern?
4. Wir engagieren uns für ein großes Kulturprojekt. Und __________ engagiert ihr euch?
5. Hast du dich für Montag mit Klaus verabredet? – Ja, ich habe mich __________ verabredet.
6. __________ denkst du? – An den Film, den ich gestern Abend gesehen habe.
7. Ich achte bei einem Film immer auf das Licht. __________ achtest du?

15

4) Sprachschatten. Hören Sie und sprechen Sie wie in den Beispielen.

Ich interessiere mich für klassische Musik.

Was, wofür interessierst du dich?

Ich unterhalte mich gleich mit dem Musiker.

Was, mit wem unterhältst du dich?

Zu **6** **1) Hochzeitspläne. Arno gibt immer die richtige Antwort. Schreiben Sie wie im Beispiel.**

1. Hast du mit deiner Familie schon über den Termin gesprochen?
   Natürlich haben wir schon darüber gesprochen.
2. Hast du an die Papiere gedacht?
   Ja, ich habe schon daran gedacht
3. Hast du dich auch so über das Restaurant geärgert? Das war unverschämt.
   Nein, ich habe mich nicht darüber geärgert.
4. Hast du schon mit deiner Schwester gesprochen? Singt sie?
   Ja, ich habe schon mit Sie darüber gesprochen, und sie singt.
5. Wir müssen auf die Gästeliste achten. Es dürfen höchstens 80 Personen sein.
   Das wäre ganz schwierig, darauf zu achten, um das Maximum nicht zu überschreiten
6. Interessierst du dich auch für mein Kleid?
   Ja ich interessiere mich gern dafür.
7. Träumst du auch schon von unserem schönsten Tag?
   Natürlich träume ich fast jeden Tag davon.

2) Bekleben Sie einen Würfel mit den Präpositionen *an, auf, für, mit, über* und *zu*.

Würfeln Sie, suchen Sie ein passendes Verb und bilden Sie einen Satz wie im Beispiel.

AUF FÜR MIT

Ich freue mich darauf, endlich perfekt Deutsch zu können.

Zu 8 Vor dem Konzert. Lesen Sie und schreiben Sie Sätze wie im Beispiel.

1. Die Fans denken.	Woran?	Sie müssen unbedingt noch Karten kaufen.
2. Manche Fans ärgern sich.	Worüber?	Sie haben keine Karten mehr bekommen.
3. Die Fans warten.	Worauf?	Sie dürfen in die Halle.
4. Die Fans träumen.	Wovon?	Sie treffen ihren Star einmal persönlich.
5. Die Fans gratulieren ihm.	Wozu?	Seine CD ist auf Platz 1.

Die Fans denken daran, dass sie unbedingt noch Karten kaufen müssen.

Zu 9 Hören Sie und und sprechen Sie nach.

16

gut • verstehst du dich gut • Mit wem verstehst du dich gut? ...

Zu 10 Lesen Sie die Überschriften. Zu welchen Rubriken passen Sie?

a) Bayern München 0:3 verloren • b) Euro-Krise und kein Ende • c) Oscar-Preisträger Robin Williams heiratet zum dritten Mal • d) Frühling viel zu kalt • e) Neuwahlen in Rheinland-Pfalz

1. ☐ Politik 2. ☐ Wirtschaft 3. ☐ Kultur 4. ☐ Wissenschaft

5. ☐ Sport 6. ☐ Vermischtes 7. ☐ Wetter

Prüfungsvorbereitung

Sprachbausteine, Teil 2

Lesen Sie zuerst den Text und entscheiden Sie, welches Wort (a–p) in die Lücke (1–10) passt. Sie können jedes Wort nur einmal verwenden. Nicht alle Wörter passen in den Text.

Sehr __0__ Herr Meier,
wir interessieren __1__ für Ihr Angebot, das Rockfestival am 22.09. mit einer Übernachtung in __2__ Hotel zu verbinden. Wir __3__ gern zwei Nächte bleiben. Meine Frau und __4__ interessiert auch das Freizeitprogramm für Kinder. Gibt es eine Kinderbetreuung in der Zeit, in der wir beim Festival sind, und __5__ ja, was kostet sie? Wie viel __6__ wir pro Tag für unsere Kinder (2 und 8 Jahre alt) bezahlen? Und __7__ eine letzte Frage: Wir haben einen kleinen Hund, den wir __8__ mitnehmen müssten. Geht das?
Bitte schreiben Sie uns so bald wie möglich, __9__ wir uns entscheiden können. Außerdem wäre es nett, wenn Sie uns einige Prospekte oder Bilder von __10__ Pension zusenden könnten.
Mit freundlichen Grüßen
Anton Müller

a) Ihrem	e) seiner	i) geehrter	m) wann
b) mich	f) uns	j) um	n) müssten
c) noch	g) würden	k) ihm	o) weil
d) wenn	h) damit	l) Ihrer	p) auch

0 [i] 1 ☐ 2 ☐ 3 ☐ 4 ☐ 5 ☐ 6 ☐ 7 ☐ 8 ☐ 9 ☐ 10 ☐

Lernwortschatz: Über Kulturelles und Aktuelles

kulturelle Interessen

aktuell: Hast du den aktuellen Spielplan?
das Musical: ◖ Magst du die Oper? ▮ Nein, ich gehe lieber in ein Musical, *Cats* ist toll.
kulturell: Das Musical ist ein kultureller Höhepunkt.
die Kultur: Wie viel Kultur braucht der Mensch?
die Messe: Warst du in Frankfurt auf der Buchmesse?
das Publikum = die Zuschauer
der/die Besucher/in: Zu den Festspielen kamen mehr als 10.000 Besucher.
die Gelegenheit: Die Besucher hatten Gelegenheit, mit den Künstlern zu sprechen.
die Band: Auf dem Festival traten mehr als 30 Bands auf.
live: Sie spielten alle live.
der Augenblick: Im Augenblick habe ich keine Zeit.
wenigstens: Wir haben den Filmstar wenigstens einen Augenblick gesehen.

Fragen und Antworten

sich bedanken (bei/für): Hast du dich bei ihr bedankt?
wofür: Wofür soll ich mich denn bedanken?
dafür: Dafür, dass sie dir geholfen hat.
darüber: Wir haben doch darüber gesprochen.
wovon: Wovon sprichst du?
mehrmals: Ich habe dir schon mehrmals gesagt, dass ...
die Zahnbürste: ... du deine Zahnbürste wechseln sollst.
die Bürste: Wo ist denn meine Haarbürste?
Spanien: Wir fahren zum Campen nach Spanien.
das Zelt/der Schlafsack: Wir zelten am Nürburgring. Hast du Zelt und Schlafsack eingepackt?
campen: Wir wollen campen.
Camping: Ich mag Camping-Urlaub nicht.
der Flug: Hast du den Flug schon gebucht?

Nachrichtenwelten

die Katastrophe: Der Unfall war eine Katastrophe: Es gab 20 Tote.
die Technik: Sie interessiert sich für Technik und ist jetzt Ingenieurin.
das Team: Sie arbeitet in einem großen Team.
die Panne: Gestern hat es eine Panne bei der Sendung gegeben.
völlig: Das ist völlig unmöglich!
die Wissenschaft: Ich lese alles über Wissenschaft und Technik.
sonst: ◖ Und was was sonst noch? ▮ Vermischtes, mich interessieren die Stars.
Sieger/in: Die Siegerin hat sich sehr über die Goldmedaille gefreut.

Verben mit Präpositionen

sich bedanken bei + Dativ
für + Akkusativ

berichten über + Akkusativ

sich informieren über + Akkusativ
stehen in + Dativ

Tipp

Hören, lesen, sehen Sie so oft wie möglich Nachrichten auf Deutsch.

Zu **1** **Lebensmittel zum Frühstück. Lösen Sie das Kreuzworträtsel.**

	1 V	O	L	L	K	2 O	R	N	B	R	O	3 T
						R						E
4 W					5 K	A	F	F	E	E		E
U						N					6 R	
R			7 M	A	R	G	A	R	I	N	E	
S						E					I	
8 T	O	A	S	T		N			9 K	Ä	S	E
						S					K	
						A			10 M		U	
	11 H					F			I		C	
12 J	O	G	H	U	R	T			L		H	
	N						13 Z	U	C	K	E	R
	I								H			
	G											

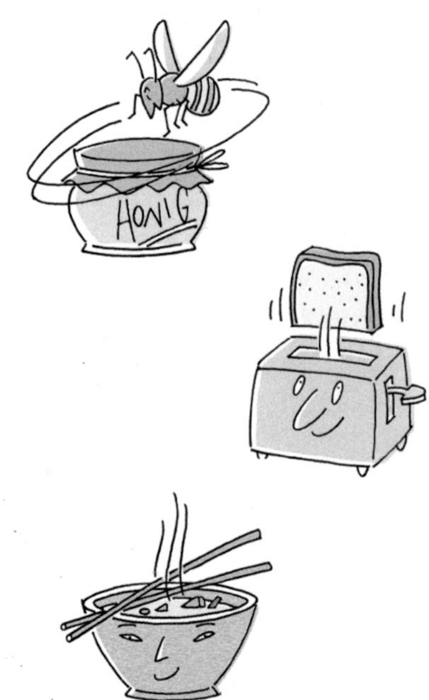

Waagerecht:

1 Es ist dunkel, gesund und in D A CH sehr beliebt.
5 Trinkst du ihn schwarz oder mit Milch?
7 Man kann sie aufs Brot schmieren oder zum Braten benutzen.
8 Nicht so gesund wie Nr. 1, aber mit Marmelade sehr gut.
9 Ist auf der Pizza und ich esse jeden Morgen ein Brötchen mit ihm.
12 Ich esse morgens nur einen ... mit frischem Obst
13 Ich nehme zwei Löffel ... in den Kaffee.

Senkrecht:

2 Ich trinke jeden Morgen ein Glas frisch gepressten ...
3 Ich trinke keinen Kaffee, ich trinke lieber ...
4 Deutsche essen gern Brot mit ... zum Frühstück.
6 Sie ist heiß und man isst sie in vielen asiatischen Ländern zum Frühstück.
7 Ich esse morgens nur ein ... mit frischem Obst.
10 Früher haben die Kinder sie jeden Morgen in der Schule bekommen.
11 Oft auf dem Toast, sehr süß, aber keine Marmelade.

Zu **3** **Oh je, bitterer Kaffee und faule Äpfel. Lesen Sie und ergänzen Sie die Adjektive.**

Gestern hatte ich nur Pech. Zum Frühstück gab es _bitteren_ 1 Kaffee mit ________ 2 Milch. Bei der Besprechung im Büro gab es einen Obstteller mit ________ 3 Bananen. Mittags in der Kantine wurde es etwas besser. Es gab eine Suppe mit ________ 4 Hühnerfleisch und danach Nudeln mit einer ________ 5 Soße und zum Nachtisch

itterben
rauser
likgene
gmaerem
dimlen

_______________[6] Ananas. Abends bin ich mit Kollegen in die Kneipe gegangen und da endete der Tag so schlecht wie er angefangen hatte: Ich bekam ein _______________[7] Bier, igitt! Aber zum Glück bekam ich auch ein Brot mit _______________[8] Schinken, den ich sehr gern mag.

üßse

aerswm

ehrom

Zu **4** **Lesen Sie die Texte auf Seite 57 noch einmal. Was ist richtig? Kreuzen Sie an.**

1. Bio- Säfte
   a) ☐ dürfen nur Früchte aus ökologischer Produktion enthalten.
   b) ☐ dürfen fünf Prozent andere Zutaten enthalten.
2. Fruchtjoghurts
   a) ☐ schmecken oft nach Obst, auch wenn gar keins drin ist.
   b) ☐ bekommen den Fruchtgeschmack, weil sie Fruchtsaft enthalten.
3. Pizza
   a) ☐ enthält oft künstlichen Käse und Schinken aus Fleischresten.
   b) ☐ darf keinen künstlichen Käse enthalten.
4. Milchriegel
   a) ☐ enthalten viel Fett und Zucker. Die Werbung sagt trotzdem, dass sie gesund sind.
   b) ☐ sind besonders gesund, weil sie viel Milch enthalten.

Zu **7** **1) Der glückliche Bauernhof. Beschreiben Sie das Bild.**

in der Mitte
vorn/hinten
links/rechts

Das ist ein Bauernhof. In der Mitte sieht man die ...

2) Textdetektive. Notieren sie aus dem Text auf Seite 58 alles, was man essen kann. Dann ergänzen Sie zu den Wörtern den Artikel und die Singular- bzw. Pluralform.

das Fleisch, hat keinen Plural

Zu **8** **Im Restaurant ist immer viel zu tun. Was wird alles gemacht? Schreiben Sie Passiv-Sätze.**

0. Der Koch brät das Steak.   Das Steak ...
   Akkusativ → Nominativ

   Das Steak wird gebraten.

1. Die Auszubildende schneidet das Gemüse. ______
2. Der Auszubildende kocht die Soße. ______
3. Der Student wäscht die Teller ab. ______
4. Der Kellner bringt das Essen. ______
5. Am Ende isst der Gast das teure Gericht. ______

2) Wie und was wird in D A CH gegessen? Schreiben Sie den Text um und benutzen Sie das *werden*-Passiv.

Essen in D A CH

Die Menschen in D A CH essen viel Brot. Schon zum Frühstück essen sie oft Vollkornbrot. Aber vor allem am Sonntag kaufen sie oft frische Brötchen und kochen Eier. Auf das Brot legt man eine Scheibe Wurst oder Käse. Oder man isst es mit Marmelade oder Honig. Meistens isst man mittags etwas Warmes, zum Beispiel in der Kantine. Nachmittags macht man eine Pause bei Kaffee und Kuchen. Abends isst man oft nur Brot und macht vielleicht einen Salat dazu. Aber immer öfter isst man auch abends warm. Denn das ist die Zeit, in der alle zusammen an einem Tisch sitzen.

In D A CH wird viel Brot gegessen. Schon zum Frühstück wird oft Vollkornbrot...

Und was/wie wird bei Ihnen gegessen? Schreiben Sie einen Text im Passiv wie in 2).

Zu **9** **1) Früher wurde vieles mit der Hand gemacht, heute gibt es Haushalts- und Küchenhelfer. Ordnen Sie die Bilder den Wörtern zu.**

1.  2. 3. 4.

a) ☐ der Toaster   c) ☐ der Staubsauger

b) ☐ die Kaffeemaschine   d) ☐ der Kühlschrank

2) **Wann wurde es erfunden? Sehen Sie sich die Bilder an und formulieren Sie aus den Stichwörtern eine Frage im Passiv Präteritum.**

1. die ersten Staubsauger / auf den Markt bringen

2. der erste Toaster / produzieren

3. der erste Kühlschrank / in großer Zahl produzieren

4. die elektrische Kaffeemaschine / erfinden

1. Wann wurden die ersten Staubsauger auf …

17 **3)** **Hören Sie und ergänzen Sie die Antworten zu Ihren Fragen aus 2).**

Zu 12 Karaoke: Die Einladung. Hören Sie Rolle 1 und sprechen Sie Rolle 2.

18

Rolle 1: …
Rolle 2: Ja hallo. Wir haben jetzt alles ausgepackt, endlich! Jetzt möchte ich mich gerne für deine Hilfe bei unserem Umzug bedanken. Darf ich dich zum Essen einladen?
Rolle 1: …
Rolle 2: Hast du Lust, mit mir zum Italiener zu gehen?
Rolle 1: ….
Rolle 2: Morgen Abend? Um acht? Ich hole dich ab, okay?
Rolle 1: …

Zu 13 Lesen Sie die Sätze und hören Sie den Dialog von Seite 60 noch einmal. Kreuzen Sie an.

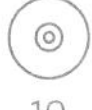

19

	richtig	falsch
1. Ramón hat einen Tisch auf den Namen Rodríguez reserviert.	☐	☐
2. Diego trinkt gern mit Ramón einen halben Liter Rotwein.	☐	☐
3. Diego nimmt einen Apfelsaft.	☐	☐
4. Die Kellnerin empfiehlt den beiden das Tagesgericht.	☐	☐
5. Ramón nimmt die Spaghetti, er hätte die Soße gerne sehr scharf.	☐	☐
6. Diego bestellt ein Omlette mit Pilzen.	☐	☐

Übungen ► Gut essen

Zu **15** 1) ***Obwohl das Wetter schlecht war, ...*** **Schreiben Sie wie im Beispiel.**

1. Das Wetter war schlecht. Wir haben gegrillt.
2. Ich mag kein Eis. Ich war mit meinem Freund ein Eis essen.
3. Ich mache eine Diät. Ich esse ein Stück Kuchen.
4. Das Essen war kalt. Es hat sehr gut geschmeckt.
5. Der Weißwein war billig. Er war sehr gut.
6. Ich vertrage abends keinen Kaffee. Ich habe einen Espresso getrunken.

1. Obwohl das Wetter schlecht war, haben wir gegrillt.

2) **Im Büro. Sagen Sie es anders und schreiben Sie Sätze mit *trotzdem*.**

1. Obwohl ich früh aufgestanden bin, bin ich zu spät zur Arbeit gekommen.
2. Obwohl ich lange gearbeitet habe, habe ich meine Arbeit nicht geschafft.
3. Obwohl ich heute Abend eine Verabredung habe, bleibe ich länger im Laden.
4. Obwohl mein Chef sehr streng ist, hat er mir freigegeben.

Ich bin früh aufgestanden, trotzdem ...

Zu **17** **Arbeiten in der Küche. Beschreiben Sie.**

Ein Junge kocht Kaffee und ein Mädchen ...

20

Prüfungsvorbereitung

Hören, Teil 2

Sie hören ein Gespräch zweimal. Lesen Sie die Aufgaben und kreuzen Sie an: Richtig oder falsch?

	richtig	falsch
1. Carlo Petrini möchte, dass weniger Lebensmittel weggeworfen werden.	☑	☐
2. Mit dem Brot, das man in Wien wegwirft, könnte man jeden Tag eine Viertelmillion Menschen ernähren.	☑	☐
3. In Deutschland gibt man mehr als ein Drittel von seinem Geld für Lebensmittel aus.	☐	☑
4. Lebensmittel sind in Deutschland immer noch zu teuer.	☐	☑
5. Man muss Lebensmittel wegwerfen, wenn das Haltbarkeitsdatum vorbei ist.	☐	☑
6. Man soll an den Lebensmitteln riechen, um festzustellen, ob sie schlecht sind.	☑	☐
7. Die Kunden sollen überlegen, was und wie viel sie einkaufen.	☑	☐

Lernwortschatz: Gut essen

Zum Frühstück

die Margarine: Nimmst du Butter oder Margarine?
der Honig / der Toast: Ich esse morgens einen Toast mit Honig.
das Vollkornbrot – ist aber gesünder.
das Müsli[1] (A, D) / die Frucht: Ich esse nur ein Müsli mit frischen Früchten.
die Scheibe: Zum Frühstück esse ich zwei Scheiben Brot.
mild: Ich trinke lieber einen milden Saft.

1 das Müesli (CH)

Was ist drin in der Verpackung?

die Verpackung: die Zutaten stehen auf der Verpackung.
das Produkt: Ich esse nur Bioprodukte.
scharf: Die Paprika ist aber scharf.
reif: Die Banananen sind sehr reif und süß.
eklig: Das finde ich eklig.
fett ≠ mager: Ich mag kein fettes Fleisch.
produzieren = herstellen: Täglich werden hier 3000 Liter Milch produziert.
herstellen: Joghurt wird aus Bakterien hergestellt.
das Labor: Ich bin Lebensmitteltechnikerin und arbeite in einem Labor.
künstlich: Der Geschmack von Erdbeerjoghurt ist oft künstlich.
Mini-: Meine Kinder lieben diese Mini-Joghurts.
kleben: Die Wurst klebt am Papier.
sich anfühlen: Das fühlt sich eklig an.

Gesunde Ernährung

die Richtung: In welche Richtung geht deine Ernährung? – Weniger Fleisch.
westlich: In westlichen Ländern wird viel Fleisch gegessen.
schlachten: Jedes Jahr werden Millionen Tiere geschlachtet:
die Ziege, das Schaf, das Rind, das Lamm
der Stall: Die Tiere leben im Stall.
das Futter: Gib deinem Hund das Futter.
ablehnen: Veganer lehnen Fleisch, Milchprodukte und Eier ab.
das Insekt: Essen sie auch keine Insekten?
spätestens: Spätestens 2050 können wir nicht mehr so viel Fleisch essen wie heute.
starten: Die Veganer haben eine Aktion gegen die Massentierhaltung gestartet.
vorhaben: Was haben Sie vor?

Im Restaurant

die Speisekarte – Was steht denn auf der Karte?
das Getränk: Haben Sie ein Getränk gewählt?
der Rotwein: Ich nehme ein Glas Rotwein.
die Vorspeise: Als Vorspeise nehme ich einen Salat.
der Nachtisch (D) / die Nachspeise (A) = das Dessert: Zum Nachtisch nehme ich ein gemischtes Eis.
die Sahne[2] (D): Tim ist gern Erdbeerkuchen mit Sahne.
die Suppe: Ich esse im Winter oft Suppe.
das Steak: Das Steak ist noch roh.
die Soße: Hm – Kloß mit viel Soße!
der Rest: Mit dem Kloß kann ich den Rest Soße aufnehmen.
recht sein: Ist bei Ihnen alles recht?
obwohl: Nein, obwohl ich eine milde Soße bestellt habe, ist die Soße sehr scharf.
vertragen: Das vertrage ich nicht.
Dann geht es auf Kosten des Hauses – man muss es nicht bezahlen
herzlich: Herzlichen Dank!

2 der Schlag (A), der Rahm (CH)

In der Küche

braten: Hast du die Kartoffeln braun gebraten?
brennen: In der Küche hat es gebrannt, das Feuer war aber nur klein.

Zu **2** 1) **Ach so! Hören Sie die Sätze. Reagieren Sie nach jeder Aussage.**

21

Wirklich? Also bitte! Tja.

Verdammt! Ach so! Hmmmm.

Igitt! Ja genau!

22

2) **Hören Sie noch einmal und vergleichen Sie.**

Zu **4** 1) **Wichtige Wörter. Was passt zusammen? Verbinden Sie.**

1. die Filiale	a) bestimmte Aufgaben haben
2. dran sein	b) etwas vermuten
3. ein Anliegen haben	c) an der Reihe sein
4. für etwas zuständig sein	d) ein Geschäft oder Büro, das zu einer großen Firma gehört
5. etwas ahnen	e) eine Bitte / einen Wunsch haben

2) **Textdetektive.**

1. Lesen Sie den Text und finden Sie alle Wörter zum Thema „Post".
2. Welche Wörter zum Thema „Post" kennen Sie noch? Notieren sie.

der Brief

3. Was kann man alles am Postschalter machen? Sammeln Sie.

einen Brief verschicken

3) **Was ist passiert? Lesen Sie noch einmal den Text auf Seite 67 und bringen Sie die Sätze in die richtige Reihenfolge.**

67

a) ☐ Auf dem Zettel steht, dass ein Päckchen in der Papiertonne liegt.

b) ☐ Dort sagen sie ihr, dass sie im Servicecenter anrufen soll.

c) ☐ das Päckchen ist weg.

d) 1 Im Briefkasten liegt ein Zettel vom Postboten.

e) ☐ Im Servicecenter ist aber niemand zuständig.

f) ☐ Aber die Papiertonne wurde geleert und …

g) ☐ Die Kundin will sich in der Postfiliale beschweren.

Zu **7** **Antwort an Frau Leutberger. Lesen Sie den Brief und die Aussagen. Kreuzen Sie an.**

Münster, 4. Februar 2012

Ihre Beschwerde vom 25.01.2012

Sehr geehrte Frau Leutberger,

mit diesem Brief möchten wir uns bei Ihnen entschuldigen. Wir können Ihren Ärger sehr gut verstehen. Es tut uns leid, dass sich in Ihrer Filiale und im Servicecenter niemand für Ihr Problem zuständig gefühlt hat. Damit wir den Vorfall prüfen können, brauchen wir von Ihnen noch ein paar Informationen. Bitte machen Sie eine Kopie von Ihrer Bestellbestätigung mit der Versandnummer und schicken oder faxen Sie sie an die obenstehende Adresse. Wenn wir den Fall geklärt haben, werden wir Ihnen mitteilen, ob wir den Schaden ersetzen können. Wir bedanken uns für Ihr Verständnis.

Mit freundlichen Grüßen
Andrea Schwarz

	richtig	falsch	nicht im Text
1. Frau Schwarz entschuldigt sich bei Frau Leutberger.	☑	☐	☐
2. Der Postbote verliert seinen Job.	☐	☑	☐
3. Frau Leutberger muss noch zeigen, was sie bestellt hatte.	☑	☐	☐
4. Sie muss noch einen Brief schreiben.	☐	☐	☑
5. Es wird geprüft, ob der Schaden ersetzt werden kann.	☑	☐	☐

Zu **8** 1) **Stress am Morgen. Schreiben Sie.**

Es ist 7 Uhr, alle haben es eilig:	*Eine halbe Stunde später:*
Das Frühstück wird gemacht.	Das Frühstück *ist gemacht.*
Der Kaffee wird gekocht.	*Der Kaffee* ______
Das Brot wird geschnitten.	______
Die Brote werden gemacht.	______
Die Taschen werden gepackt.	______
Die Kinder werden angezogen.	______
Die Tür wird geöffnet.	______
Die Tür wird geschlossen.	______
Uff, geschafft! Alle sind weg.	Alles ist erledigt!

2) **Einkaufen rund um die Uhr. Lesen Sie den Text und lösen Sie die Aufgaben.**

Was kaufen die Deutschen im Internet?

Modern, schnell und einfach. Internetshopping wird immer beliebter. Mehr und mehr Deutsche kaufen im Netz ein. Online-Shopping bietet viele Vorteile: Man kann rund um die Uhr einkaufen, die Preise vergleichen und sich die Waren bequem nach Hause liefern lassen, um sie dort in Ruhe anzuschauen. Und wenn man nicht zufrieden ist, kann man sie kostenlos zurückschicken.

Kein Wunder also, dass das Angebot im Internet ständig wächst. Aber was kaufen die Deutschen eigentlich im Netz? Den größten Anteil an den Verkaufszahlen haben Amazon und andere große Online-Händler, die viele verschiedene Waren anbieten. Die besten Kunden sind die Computernutzer selbst: Computer- und Unterhaltungselektronik stehen an erster Stelle, gefolgt von Kleidung und Textilien an zweiter und Büchern, CDs und DVDs an dritter Stelle. Besonders interessant ist, dass Autos und Motorräder schon auf Platz 4 stehen, aber hier wird meist nur das Zubehör online gekauft. An fünfter Stelle stehen Medikamente, für die immer weniger Leute in die Apotheke gehen, weil sie im Internet oft billiger sind. Auch Büromaterial, wie z.B. Druckerpapier, Stifte usw., wird gern online bestellt. Auf dem siebten Platz stehen Produkte von Bau- und Gartenmärkten, danach folgen Hobby- und Freizeitartikel. Auf dem 9. Platz schließlich stehen Spielwaren und erst ganz zum Schluss kommen Lebensmittel – die werden wohl doch noch am liebsten im Supermarkt gekauft.

1. Was sind die Vorteile beim Interneteinkauf?
   Notieren Sie sie.
2. Was wird am meisten im Internet gekauft?
   Schreiben Sie eine Top-Ten-Liste.

   Platz 1: Computer- und Unterhaltungselektronik (Spiele)
3. Wählen Sie ein Thema aus und machen Sie ein Wörternetz.
   Kleidung • Computer • Hobby

   Kleidung: die Jacke, die Hose, der Schal
4. Unterstreichen Sie alle Adjektive.
   Schreiben Sie sie auf und ergänzen Sie, wenn möglich das Gegenteil.

   modern – unmodern, altmodisch

Kaufen Sie im Internet ein? Wenn ja, was? Wenn nein, warum nicht? Schreiben Sie einen kurzen Text.

Zu **13** 1) **Meine faule Familie! Schreiben Sie Sätze wie im Beispiel.**

Meine Familie ist so faul! Nichts machen Sie selbst!

1. Mein Vater kocht den Kaffee nicht selbst.

   1. Mein Vater lässt den Kaffee kochen.
2. Meine Mutter macht das Frühstück nicht selbst.
3. Und danach waschen sie das Geschirr nicht selbst ab.
4. Meine Oma putzt ihre Wohnung nicht selbst.
5. Meine Geschwister räumen ihre Zimmer nicht selbst auf.
6. Aber ich bin auch nicht besser: Ich repariere mein Fahrrad nicht selbst.
7. Und ihr? Was macht ihr selbst?

2) **Auch gestern waren wir wieder sehr faul. Schreiben Sie die Sätze aus 1) im Perfekt.**

1. Mein Vater hat den Kaffee kochen lassen.

23 **3) Urlaub ganz einfach. Reagieren Sie wie im Beispiel.**

Druckst du das Ticket aus?

Nein, ich lasse das Ticket ausdrucken.

4) Glück oder nicht? Alles wird für mich gemacht. Schreiben Sie Sätze wie im Beispiel.

1. Man renoviert mein Haus.
2. Man putzt meine Fenster.
3. Man bügelt meine Wäsche.
4. Man wäscht mein Auto.
5. Man fährt meine Kinder zur Schule.
6. Man pflegt meinen Garten.
7. Man gießt meine Blumen.
8. Man füttert meinen Hund.

... Manchmal ist mir richtig langweilig!

1. Ich lasse mein Haus renovieren.
Mein Haus wird renoviert.

Zu 17 Karaoke: Beim Frisör. Hören Sie Rolle 1 und sprechen Sie Rolle 2.

24

Rolle 1: ...
Rolle 2: Ich hätte gern einen ganz neuen Haarschnitt. Ich möchte nicht mehr so langweilig aussehen.
Rolle 1: ...
Rolle 2: So ungefähr bis hier. Also bis zum Kinn. Die Frisur sollte modern aussehen.
Rolle 1: ....
Rolle 2: Ja, das kann ich mir vorstellen. Aber die Farbe ist ganz anders.
Rolle 1: ...
Rolle 2: Was würde das denn kosten?
Rolle 1: ...
Rolle 2: Okay, dann fangen Sie mal an. Aber bitte nicht zu kurz!

Zu 18 1) Was muss man zuerst machen, was danach? Schreiben Sie Sätze mit *bevor*.

	zuerst	**danach**
1. die Kundin:	einen Termin machen	zum Frisör gehen
2. sie:	sich viele Frisuren anschauen	sich für einen Haarschnitt entscheiden
3. der Frisör:	die Haare waschen	die Haare kämmen
4. er:	die Haare schneiden	die Haare föhnen
5. die Kundin:	in den Spiegel schauen	sich über die neue Frisur freuen
6. sie:	bezahlen	nach Hause gehen

1. Bevor die Kundin zum Frisör geht, macht sie einen Termin.

Haare föhnen

2) Wiederholung *nachdem*-Sätze. Wissen Sie es noch?
Schreiben Sie mit den Stichwörtern aus 1) Sätze mit *nachdem*.

1. Nachdem die Kundin einen Termin gemacht hatte, ging sie zum Frisör.

Prüfungsvorbereitung

Leseverstehen, Teil 3

Lesen Sie zuerst die fünf Situationen und dann die sieben Anzeigen. Welche Anzeige passt zu welcher Situation? Es ist auch möglich, dass es keine passende Anzeige gibt. Dann tragen Sie ein X ein.

1. ☐ Sie suchen eine Stelle als Kellner/Kellnerin. Sie können nur abends arbeiten.
2. ☐ Sie sind neu in der Stadt und suchen einen preiswerten Frisör für die ganze Familie, der auch noch nach 19 Uhr geöffnet hat.
3. ☐ Sie möchten ein Päckchen ins Ausland verschicken. Sie suchen einen Kurierdienst.
4. ☐ Sie kochen gern und wollen neue Leute kennenlernen. Deshalb suchen Sie einen Kochkurs. Sie sind Vegetarier/in. Sie haben nur am Wochenende Zeit.
5. ☐ Sie suchen eine Putzfrau, die einmal in der Woche kommt und auch bügelt.

A

Veggie-Kurs im Restaurant „Zucchini“
Genießen Sie außergewöhnliche Gerichte. Lernen Sie in entspannter Atmosphäre vegetarisch kochen. Gemeinsam kochen und dann zusammen essen. Vier Termine in vier Wochen. Der nächste Kochkurs für Vegetarier/innen beginnt am Donnerstag, den 09.02.2012 um 18 Uhr.
Infos unter 98 65 27 85

B

Zuverlässige Putzfrau *putzt ihre Wohnung gründlich. Übernehme alle Arbeiten, die im Haushalt anfallen, auch Einkaufen, Kochen, Bügeln, Rasen mähen und Gartenarbeit. Komme einmal pro Woche oder auch öfter. Mobil: 0173 82329234.*

C

Restaurant „Zum grünen Wald“ sucht zum 1. November Kellner/in für Vollzeitstelle.
Gute Bezahlung, nettes Team.
Arbeitszeiten im Wechsel zwischen Früh- und Abenddienst.

Ihre Bewerbung schicken Sie bitte an:
Restaurant „Zum grünen Wald“ –
Schöne Aussicht 7 – 61476 Kronberg.

D

MERCURIUS-VERSAND
Wir versenden Pakete und Päckchen weltweit zuverlässig und schnell. Ihre Sendungen werden per Boten persönlich zugestellt. Überzeugen Sie sich von unseren attraktiven Preisen:

Versandgebühren:

	Europa	weltweit
bis 1000 gr	4,50 €	6,50 €
bis 2500 gr	6,40 €	8,90 €
bis 5000 gr	9,00 €	13,00 €
bis 10 Kilo	16,50 €	23,00 €

MERCURIUS-VERSAND, Frankfurter Straße 12, 65760 Eschborn, Tel. 06173/828828, www.mercurius-versand.de

E

Scherenschnitt – der Frisör in Ihrer Stadt
Freundlich – preiswert – modern – für Damen, Herren und Kinder

Wir haben für Sie auch montags geöffnet. Nutzen Sie auch unseren LateNightCut: Immer donnerstags schneiden wir Ihre Haare bis 22 Uhr, dazu servieren wir Ihnen einen Cocktail.

F

Die Putzteufel – die professionelle Gebäudereinigung nun auch in Ihrer Stadt. Wir reinigen Bürogebäude, Fenster, Treppenhäuser und Außenanlagen pünktlich, zuverlässig und schnell. Fordern Sie ein unverbindliches Angebot an. Testen Sie uns einmal kostenlos und entscheiden Sie dann, wer die Nummer 1 für professionelle Gebäudereinigung ist.
Infos unter www.putzteufel.de oder unserer Hotline: 0180 7532813.

G

Aushilfen gesucht

Pizzeria Napoli sucht Service-Kraft, gerne mit Erfahrung. Flexible Arbeitszeiten, gute Bezahlung.

Tel.: 089 654 33 211

Lernwortschatz: Der Kunde ist König

Dienstleistungen

zu dritt: Klaus, Maria und ich waren zu dritt im Supermarkt.
die Reaktion: Die Reaktion auf meine Idee war positiv.
igitt: Igitt! Das ist ja eklig!
aua: Aua. Das tat weh!
tja: Tja ... Das ist eben so.
verdammt: Verdammt, ist das ärgerlich!
verschwinden: Das Päckchen ist verschwunden.
weg: Das Päckchen ist weg.
wahr: Das darf doch nicht wahr sein!
der Briefkasten: Im Briefkasten liegt eine Nachricht.
der Postbote: Der Postbote sollte das Päckchen bringen.
ahnen: Das konnte ich doch nicht ahnen!
die Schlange / sich anstellen: Ich muss mich an der langen Schlange anstellen.
das Schild: Auf dem Schild steht: Bitte warten!
dran sein: Ich bin endlich dran.
verärgert (sein) = sauer sein
auflegen: Ich lege jetzt auf.

Wer ist zuständig?

verpassen: Ich habe meinen Bus verpasst, weil er zu früh kam.
sich beschweren: Ich möchte mich beschweren.
zuständig: Wer ist für meine Beschwerde zuständig?
liefern: Sie haben das Paket nicht geliefert.
leeren: Die Altpapiertonne wurde geleert.
der Schaden: Mir ist ein Schaden entstanden.
weiterhelfen: Wer kann mir nun weiterhelfen?
die Abteilung: Hier ist die Schadensabteilung, was kann ich für Sie tun?
verrückt: Das ist ja eine verrückte Geschichte.
erst einmal: Erst einmal möchte ich mich entschuldigen und dann ...
weiterleiten: ... leite ich Ihre Beschwerde weiter.
beruhigen: Sie haben den Kunden beruhigt.
der Gutschein: Er hat einen Gutschein bekommen.

Fertig?

abräumen: Hast du die Tische abgeräumt?
decken: Hast du den Tisch gedeckt?
der Aschenbecher: Sind die Aschenbecher ausgeleert?
der Antrag: Hast du den Antrag schon ausgefüllt ...
faxen: ... und ihn ans Amt gefaxt?
informieren: Bist du gut informiert worden?
abschließen / aufschließen[1] (D, CH): Hast du die Tür abgeschlossen?
fegen[2] (D): Hast du den Boden gefegt?
falsch machen: Habe ich etwas falsch gemacht?
obwohl: Obwohl ich eine milde Soße bestellt habe, ist die Soße sehr scharf.

1 zusperren, aufsperren (A)
2 kehren (A), wischen (CH)

Selbst machen oder machen lassen?

selbst: Ich mache alles selbst, das ist mir lieber.
lassen: Ich lasse mir die Haare schneiden.
das Missverständnis: Das war ein Missverständnis. Ich wollte keine Strähnchen.
stehen (+ *Dat.*): Die neue Frisur steht dir gut.
bevor: Bevor ich ins Büro gehe, trinke ich einen Kaffee.
die Putzfrau: Hast du eine Putzfrau oder putzt du selbst?

Im Kurs

die Bewertung: Die Bewertung von dem Lied steht an der Tafel.
bewerten: Heute wird unser Test bewertet.
zählen: Wurden alle Punkte gezählt?

Tipp

Das sagt man häufig:

***Lass** es dir gut gehen.*

***Lass** mich das machen.*

Vier Berufe

Ein Beruf mit Zukunft

Simone Wiese ist Erzieherin in der Kindertagesstätte „Wirbelwind“ in Bremen. Nach der 10. Klasse ging sie auf eine Berufsfachschule, um eine zweijährige Ausbildung als Erzieherin anzufangen. Danach machte sie noch ein Jahr lang ein Praktikum in einer Kindertagesstätte. Jetzt ist sie schon seit zehn Jahren im Beruf und arbeitet jeden Tag von acht bis 16 Uhr in einer Kita, die nur zehn Minuten von ihrer Wohnung entfernt ist. Die Arbeit mit den Kindern gefällt ihr. Sie liebt es, mit den Kindern zu malen, zu singen, zu spielen und draußen zu sein. Auch heute würde sie wieder diesen Beruf wählen. „Die Arbeit macht mir sehr viel Spaß“, erzählt die Dreißigjährige. „Jeder Tag ist neu und man weiß nie, was passiert. In meiner Gruppe sind im Moment Kinder aus sieben Ländern. Ich versuche immer, ein paar Worte in ihrer Muttersprache zu lernen. Darüber freuen sie sich sehr. Bei uns wird viel gelacht, aber natürlich gibt es auch traurige Momente. Zum Beispiel wenn es Streit gibt oder wenn ein Kind aus der Gruppe wegzieht. Dann muss man wissen, wie man die Kinder am besten unterstützen kann.“

Die Möglichkeiten für Erzieher und Erzieherinnen sind im Moment sehr gut, weil es in Deutschland immer noch zu wenig Betreuungsplätze für Kinder gibt. Aber langsam werden es mehr Plätze, für die auch immer wieder Erzieher/innen gesucht werden. Was sollte man beachten, bevor man sich für diese Ausbildung entscheidet? Simone Wiese meint: „Das Wichtigste ist natürlich, dass man Kinder mag und mit ihnen arbeiten möchte. Man sollte sich gut in andere Menschen hineinfühlen können und man muss kommunikativ sein, denn man hat viele Gespräche mit den Eltern und auch regelmäßige Teambesprechungen. Man darf natürlich keine Probleme mit Lärm und Stress haben, denn mit Kindern wird es oft auch laut und hektisch.“

Ein Job mit viel Wind

Markus Klein interessierte sich schon als Kind für Umweltschutz und Technik. Nach dem Abitur machte er in Braunschweig ein Studium zum Umweltingenieur. Er sagt: „Ich wollte einen Beruf, der Zukunft hat und deshalb habe ich mich für dieses Studium entschieden. Jetzt arbeite ich für eine große, internationale Firma und plane den Bau von Windparks. Ein toller Beruf.“

Seine Tage im Büro sind oft lang, aber spannend. Meistens kommt er so gegen halb neun in die Firma, dann liest er erst einmal seine E-Mails. Natürlich arbeitet er oft am Computer, denn dort werden die Pläne für neue Windparks gemacht. Aber an so einem Projekt arbeiten immer viele Menschen, regelmäßige Teambesprechungen gehören zu seinem Alltag: „In meiner Firma gibt es viele Spezialisten, mit denen ich jeden Tag zusammenarbeite. Andere Ingenieure, aber auch Mechatroniker und Elektriker. Oft sind wir auch auf unseren Baustellen oder zur Kontrolle in den Windparks, die schon fertig sind. Ich finde es schön, dass mein Beruf so abwechslungsreich ist. Ich liebe es, mich lange mit einem Problem zu beschäftigen und konzentriert zu arbeiten. Es ist natürlich auch wichtig, die einzelnen Arbeitsschritte und die Zusammenarbeit von allen gut zu organisieren. Das Schlimmste ist der Zeitdruck. Wenn es mehr Zeit für die Projekte geben würde, wäre mein Leben einfacher.“ Trotzdem hofft er, dass in der Zukunft immer mehr Windparks entstehen. Denn die erneuerbaren Energien werden für uns alle immer wichtiger.

Nach der Arbeit entspannt sich Markus Klein gerne beim Sport oder trifft sich mit Freunden. „Das ist wichtig, denn in meinem Job wird oft sehr lange gearbeitet. Zwölf-Stunden-Tage sind da ganz normal, aber ich verdiene ja auch gut. Dafür lohnt sich die viele Arbeit dann auch.“

Frisörin aus Leidenschaft

Irina Staňková arbeitete nach ihrer dreijährigen Ausbildung zur Frisörin zehn Jahre als Angestellte in einem großen Salon. Letztes Jahr hat sie ihre Meisterprüfung gemacht und vor einem Monat erfüllte sie sich ihren großen Traum: Sie hat ihren eigenen Frisörsalon eröffnet. „Für mich hat sich die Frage nie gestellt, was ich mal werden möchte. Ich wusste schon immer, dass Frisörin mein Traumberuf ist.“

Sie hatte auch schon immer davon geträumt, ihre eigene Chefin zu sein. Aber es ist nicht immer einfach. Sie kann wunderbar mit den Kunden umgehen und sie liebt es, Haare zu schneiden und zu färben. Aber selbst ein Geschäft zu führen, für das man allein verantwortlich ist, bedeutet mehr: Jeden Monat müssen die Kosten stimmen. Sie muss die Bücher führen, ihre Angestellten unterstützen, ihre Arbeitszeiten organisieren und sich darum kümmern, welche Fortbildungen wann besucht werden. Sie musste sich auch überlegen, wie der Salon und seine Einrichtung aussehen sollte, die natürlich nicht zu teuer sein durfte. „Das hat Spaß gemacht, aber ich hätte nie gedacht, dass man an so viele Dinge gleichzeitig denken muss. Das ist ganz schön viel Verantwortung.“

Obwohl sie das alles in der Ausbildung gelernt hat, war sie am Anfang unsicher, ob sie sich wirklich selbständig machen sollte. So viel Erfahrung hatte sie ja noch nicht, aber nachdem ihre Chefin aus dem alten Salon ihr Mut gemacht hatte, wagte sie den Schritt in die Selbstständigkeit. Als Angestellte hatte sie feste Arbeitszeiten und nie mehr als 40 Stunden die Woche gearbeitet. Das ist jetzt vorbei.

„Aber es ist ein tolles Gefühl, morgens den eigenen Laden aufzuschließen, die Kunden und Angestellten zu begrüßen und so arbeiten zu können, wie man es selbst gerne möchte.“

Vom Journalisten zum Koch

Ralf Sander ist eigentlich Journalist, aber seinen Beruf hatte er aufgegeben, um mehrere Jahre in der Welt herumzureisen. Irgendwann war er auch in Australien und auf der Suche nach einem Job. In einem italienischen Restaurant in Sydney, in dem kein einziger Italiener arbeitete, wurde ein Tellerwäscher gesucht. Er nahm den Job an. Nach kurzer Zeit fiel in der Küche ein Koch aus und der Chef fragte ihn, ob er sich nicht vorstellen könnte, diese Arbeit zu machen. Ralf hatte nie mehr als ein paar Schnitzel gebraten und fand dieses Angebot etwas komisch, aber der Chef meinte zu ihm: „Gut, ich habe drei Wochen Stress, um dir alles zu erklären. Aber dann kannst du es und ich muss keinen gelernten Koch suchen, der teuer und vielleicht bald wieder weg ist.“ Und so lernte Ralf Sander, wie man Fleisch und Gemüse schneidet, Steaks auf den Punkt brät und vieles mehr. Er wurde schließlich sogar Grillchef und täglich von 17 Uhr bis ein Uhr nachts musste er sich um alles kümmern. Am schwierigsten fand er es, die Zeit zu organisieren. Welches Gericht in welcher Reihenfolge gekocht wird, und wann es sinnvoll ist, mit dem Braten anzufangen, damit Fleisch und Nudeln zur gleichen Zeit fertig sind – das war eine große Herausforderung für ihn. Die Arbeit hat ihm aber so viel Spaß gemacht, dass er weiter als Koch arbeiten wollte. Auch als er nach drei Jahren wieder in Deutschland war. Heute arbeitet er in einer Cateringfirma als Beikoch. Er verdient genug zum Leben, hat eine 37-Stunden-Woche und viel Spaß mit seinen Kollegen, denn sie sind ein tolles Team. Aber langsam fängt er an, darüber nachzudenken, dass es doch schön wäre, mal auf einem Kreuzfahrtschiff zu kochen …

4 x Ja genau! Das war der fünfte Band.

Vier Texte – vier Aufgaben

4

Sie können mit den Texten bis zu vier Mal arbeiten. Zuerst wählen Sie im Kurs vier Aufgaben aus, die *alle* bearbeiten sollen und markieren Sie diese im Buch. (in der nächsten Wiederholungsstunde können Sie vier neue Aufgaben auswählen). Dann bilden Sie vier Gruppen, für jeden Text eine: blau, rot, gelb, grün. Jede Gruppe löst die vier Aufgaben, aber nur für ihren Text.

Leseverstehen

1 Machen Sie einen Steckbrief zu Ihrer Person.

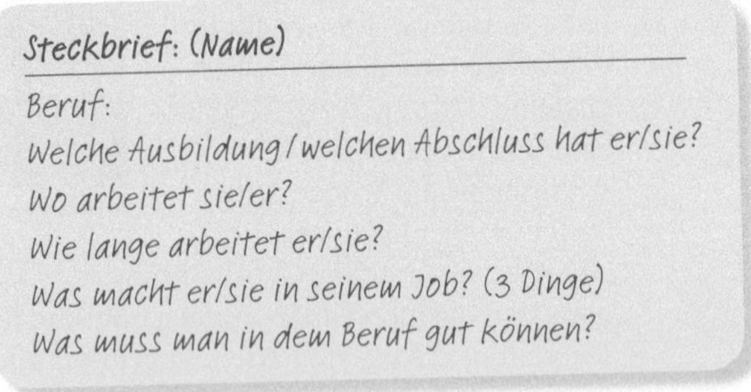

Steckbrief: (Name)
Beruf:
Welche Ausbildung/welchen Abschluss hat er/sie?
Wo arbeitet sie/er?
Wie lange arbeitet er/sie?
Was macht er/sie in seinem Job? (3 Dinge)
Was muss man in dem Beruf gut können?

Schnüffelstrategie: *Welche Informationen/Wörter brauchen Sie? Suchen und markieren Sie im Text.*

Wortschatz

2 Textdetektive: Markieren Sie in Ihrem Text alle Nomen und notieren Sie sie.

3 Schreiben Sie mit drei Wörtern aus Ihrem Text eine Übung wie im Beispiel. Ein Wort darf nicht in die Reihe passen.

Beispiel:

Salon: Laden ☐ Raum ☐ Küche ☐

4 Dingsda. Wählen Sie drei Verben aus Ihrem Text und beschreiben Sie sie mit anderen Worten. Notieren Sie Ihre Erklärungen.

Beispiel:

arbeiten: Das macht man fünf Tage in der Woche und man bekommt Geld, wenn man es tut.

5 Wählen Sie aus Ihrem Text sechs Begriffe, die besonders typisch für den Beruf sind. Schreiben Sie jeden Begriff einzeln auf eine Karte.

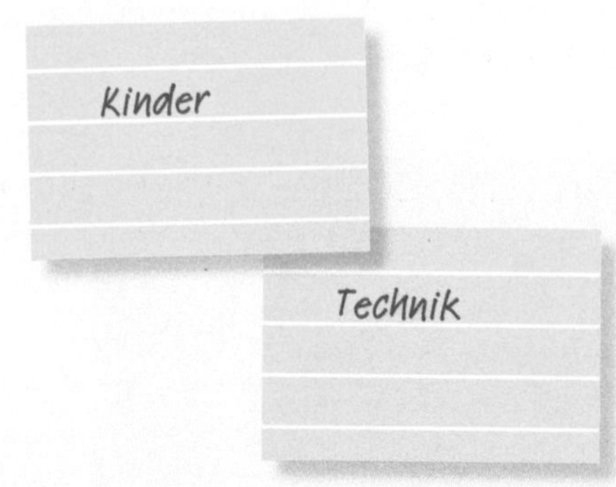

Schreiben

6 **Stellen Sie sich vor, jemand anderes müsste die Person aus Ihrem Text beschreiben. Wählen Sie eine Person und schreiben Sie einen kurzen Text aus der Sicht dieser Person.**

– seine/ihre Chefin
– ihre Angestellte
– sein/ihr Kollege

Meine Kollegin betreut eine Gruppe mit 14 Kindern im Alter von drei bis fünf Jahren. Sie hat schon viel Erfahrung, denn sie ...

7 **So ein Unsinn! Denken Sie sich lustige Verbote für „Ihren" Beruf aus. Machen Sie Schilder wie im Beispiel.**

DENKEN VERBOTEN!

Das Singen ist montags und dienstags nicht erlaubt.

Von 15:00 – 17:00 Uhr ist das Haarewaschen im Salon verboten.

8 **Sie sind Reporter/in. Notieren Sich sich Sie zu jedem W-Wort eine Interviewfrage zu Ihrem Text.**

Wo ...? / Was ...? / Wie lange ...? / Mit wem ...?

9 **Der Arbeitstag von ... Beschreiben Sie den Arbeitstag von „Ihrer" Person. Schreiben Sie einen kurzen Text.**

Simone Wiese kommt um acht Uhr in die Kita. Sie ...

Grammatik

10 **Nebensätze. Wählen Sie im Text einen Nebensatz aus und schreiben Sie ihn zusammen mit dem Hauptsatz auf ein Blatt Papier. Schneiden Sie die Wörter aus und legen Sie sie in einen Briefumschlag.**

er wollte einen Beruf...

11 **Konjunktiv II. Schreiben Sie eine Wunschliste für die Person in ihrem Text. Was braucht sie? Was wäre wichtig etc.?**

Ralf Sander / Simone Wiese / ... hätte gern ... Er/Sie würde gern ...

12 **Passiv. Finden Sie in Ihrem Text mindestens eine Passivform und machen Sie ein Wörternetz wie im Beispiel.**

... welche Fortbildungen wann besucht werden.

Fortbildungen werden besucht
zur Weiterbildung
regelmäßig
von den Angestellten

13 Präteritum. Unterstreichen Sie alle Präteritumformen im Text und schreiben Sie die Infinitivformen auf je einen großen Zettel.

14 Infinitiv mit *zu*. Markieren Sie in Ihrem Text alle Infinitive mit *zu*. Schreiben Sie die Satzteile wie im Beispiel auf zwei Zettel. Lassen Sie das *zu* auf Zettel 2 weg.

Beispiel: Sie hatte auch schon immer davon geträumt, ihre eigene Chefin zu sein.

Zettel 1	Zettel 2
Sie hatte auch schon immer davon geträumt, Sie liebte es,	ihr eigene Chefin sein Haare schneiden

15 Relativsätze. Finden Sie in Ihrem Text die Relativsätze. Machen Sie aus mindestens einem Relativsatz zwei Hauptsätze. Schreiben Sie die beiden Sätze auf einen Zettel.

16 Finden Sie in Ihrem Text das Pronominaladverb.

davon • darüber • dafür

Expertengruppen

Mischen Sie die Gruppen neu. In jeder Gruppe muss es mindestens eine/einen Expertin/-en zu jedem Text (jeder Farbe) geben. Nehmen Sie Ihre Ergebnisse aus den vier Aufgaben mit. Bearbeiten Sie jetzt die vier Aufgaben, die zu den Aufgaben aus der ersten Runde gehören.

Zu **1** Der Experte/Die Expertin benutzt den Steckbrief und beschreibt den anderen in der Gruppe die Person aus seinem/ihrem Text.

Zu **2** a) Vergleichen Sie Ihre Listen. Finden Sie die Wörter, die es in mehreren Texten gibt. Eine/r notiert sie auf ein großes Blatt Papier.

b) Denken Sie sich gemeinsam einen neuen Beruf aus und beschreiben Sie ihn mit den Wörtern auf dem Zettel. Sie müssen nicht alle Wörter benutzen.

Hast du das Wort „Stress“?

Ja, ich habe das Wort.

Ich habe es nicht.

Zu **3** Was passt nicht? Tauschen Sie Ihre Aufgaben. Raten Sie. Der Experte/ die Expertin hilft.

Zu **4** Lesen Sie abwechselnd Ihre Erklärungen vor. Die anderen raten das Verb. Der Experte/die Expertin hilft.

Zu **5** Mischen Sie die Karten mit allen Begriffen (zu allen vier Texten) und legen Sie sie auf einen Stapel. Notieren Sie die Berufe auf je einen Zettel und legen Sie die Zettel auf den Tisch. Ziehen Sie immer abwechselnd eine Karte. Entscheiden Sie: Zu welchem Beruf passt der Begriff? Legen Sie die Karte zu dem Beruf.

Erzieher/in

Frisör/in

Koch/Köchin

Umweltingenieur

Zu **6** **Lesen Sie ihren Text laut vor. Die anderen raten: Wer sagt das?**

Zu **7** **Hängen Sie alle „Schilder“ an die Wand und wählen Sie gemeinsam das lustigste Schild aus.**

Zu **8** **Interviews. Kurze Fragen, kurze Antworten.**

So geht's: Teilen Sie die Gruppe in zwei Hälften. Eine Hälfte spielt den/die Reporter/in mit „Mikrofon“ und benutzt die Fragen aus der Aufgabe. Die andere Gruppe spielt die Person aus seinem/ihren Text. Alle Gruppen gehen durch den Raum, im Hintergrund spielt leise Musik. Wenn die Musik ausgemacht wird, kommen ein/e Reporter/in und „ein Beruf“ zusammen. Der/Die Reporter/in stellt eine Frage, die der/die Partnerin antwortet. Dann geht die Musik wieder an und alle laufen weiter durch den Raum, bis die Musik wieder ausgeht und neue Paare gebildet werden.

Zu **10** **Tauschen Sie Ihre Briefumschläge und puzzeln Sie den Satz. Der/ die Experte/in hilft.**

Zu **11** **Lesen Sie drei Wünsche vor. Dann ergänzen Sie zu jedem Wunsch die folgenden Satzanfänge.**

Wenn (Name der Person) ... hätte, wäre er/sie ... / würde er/sie
Wenn (Name der Person) ... könnte/würde, würde er/sie ...

Zu **12** **Legen Sie Ihre Wörternetze auf den Tisch. Bilden Sie Sätze.**

In unserer Firma werden regelmäßig Fortbildungen besucht.

Zu **13** **Verben konjugieren. Hier kann der ganze Kurs mitmachen!**

So geht's: Legen Sie alle Infinitiv-Zettel auf einen Tisch. Jede/r zieht einen Zettel. Bilden Sie einen Kreis. Eine/r geht mit einer Zeitung in der Hand in die Mitte. Eine Person (A) im Kreis fängt an, hält seinen /ihren Zettel hoch und ruft einen Namen (Person B). Person B sagt so schnell wie möglich die passende Präteritumform. Die Person in der Mitte versucht, B vorher mit der Zeitung zu treffen. Schafft er/sie das, muss der/die andere in die Mitte, schafft er/sie es nicht geht es weiter.

Zu **14** **Legen Sie Ihre Zettel auf den Tisch. Person A zieht einen blauen Zettel, Person B sucht den passenden roten Zettel. Person C schreibt den Satz mit *zu* auf.**

Zu **15** **Legen Sie alle Zettel auf einen Tisch. Ziehen Sie abwechselnd einen Zettel und und bilden Sie wieder einen Relativsatz.**

Zu **16** **Tauschen Sie Ihre Pronominaladverbien. Suchen Sie das Wort im „neuen“ Text und formulieren Sie die passende Frage mit *worüber / worauf / wovon*.**

Beobachtungsbogen

Einheit 3, Aufgabe 19

Teilnehmer/in 1:	Teilnehmer/in 2:	Teilnehmer/in 3:	Moderator/in:
______	______	______	______
1. Hat deutlich gezeigt, welche Rolle er/sie hat. ja ☐ nein ☐ Rolle: ______	1. Hat deutlich gezeigt, welche Rolle er/sie hat. ja ☐ nein ☐ Rolle: ______	1. Hat deutlich gezeigt, welche Rolle er/sie hat. ja ☐ nein ☐ Rolle: ______	1. Hat das Thema kurz vorgestellt. ja ☐ nein ☐
2. Hat seine/ihre Argumente kurz und klar ausgedrückt. ja ☐ nein ☐ Argumente: ______ ______ ______	2. Hat seine/ihre Argumente kurz und klar ausgedrückt. ja ☐ nein ☐ Argumente: ______ ______ ______	2. Hat seine/ihre Argumente kurz und klar ausgedrückt. ja ☐ nein ☐ Argumente: ______ ______ ______	2. Hat alle nach Ihrer Meinung gefragt. ja ☐ nein ☐ 3. Hat aufgepasst, dass alle ungefähr die gleiche Zeit zum Sprechen hatten. ja ☐ nein ☐
3. Hat den anderen zugehört. ja ☐ nein ☐	3. Hat den anderen zugehört. ja ☐ nein ☐	3. Hat den anderen zugehört. ja ☐ nein ☐	4. Hat die Diskussion am Ende zusammengefasst. ja ☐ nein ☐

Fragebogen

Einheit 6, Aufgabe 10

1. **Lesen Sie die Fragen. Sie können auch weitere Fragen ergänzen.**
2. **Stellen Sie im Kurs 2–3 Personen die Fragen und kreuzen Sie an.
   Bei welcher Frage hat ihr/e Partner/in gelogen? Markieren Sie das Kreuz.**

Wie wird bei euch gegessen?	Person 1		Person 2		Person 3	
	ja	nein	ja	nein	ja	nein
1. Wird bei dir zu Hause mindestens dreimal die Woche Fleisch gegessen?	☐	☐	☐	☐	☐	☐
2. Wird bei dir zu Hause zum Frühstück Suppe gegessen?	☐	☐	☐	☐	☐	☐
3. Wird bei dir zu Hause erst nach 20:00 zu Abend gegessen?	☐	☐	☐	☐	☐	☐
4. Wird bei dir zu Hause heißes Wasser getrunken?	☐	☐	☐	☐	☐	☐
5. Wird bei dir zu Hause viel Süßes gegessen?	☐	☐	☐	☐	☐	☐
6. Wird bei dir zu Hause auch nachts gegessen?	☐	☐	☐	☐	☐	☐
7. Werden bei dir zu Hause Insekten gegessen?	☐	☐	☐	☐	☐	☐
8. Wird bei dir zu Hause beim Essen ferngesehen?	☐	☐	☐	☐	☐	☐
9. ______________?	☐	☐	☐	☐	☐	☐
10. ______________?	☐	☐	☐	☐	☐	☐
11. ______________?	☐	☐	☐	☐	☐	☐

Der Tote im Westend – Zusatzmaterialien

1. **Die Personen. Überprüfen Sie nach jedem Teil, welche Informationen Sie in den Steckbriefen ergänzen können.**

Thomas Müller
Beruf: Kommissar
Rolle: soll Mordfall lösen
Alter: ______
Aussehen: ______
Sonstiges: trinkt gerne Milchkaffee

Uwe Peikert
Beruf: ______
Rolle: Kollege von
Alter: ______
Aussehen: ______
Sonstiges: ______

Jutta Schäfer
Beruf: ______
Rolle: Nachbarin von Stefan Hildmann
Alter: ______
Aussehen: ______
Alibi: ______
Sonstiges: ______

Stefan Hildmann
Beruf: ______
Rolle: ______
Alter: ______
Aussehen: ______
Alibi: ______
Sonstiges: ______

Grete Willmers
Beruf: ______
Rolle: ______
Alter: ______
Aussehen: ______
Alibi: ______
Sonstiges: ______

Robert Kosch
Beruf: ______
Rolle: ______
Alter: ______
Aussehen: ______
Alibi: ______
Sonstiges: ______

Silke Kosch
Beruf: ______
Rolle: ______
Alter: ______
Aussehen: ______
Alibi: ______
Sonstiges: ______

Teil 1

1. Was glauben Sie, warum möchte Jutta Schäfer mit Kommissar Müller alleine sprechen? Notieren Sie Ihre Vermutungen und überprüfen Sie sie nach Teil 6.

166

2. Stadtplan. Auf Seite 166 finden Sie einen Stadtplan von Frankfurt. Finden Sie das Polizeipräsidium in der Adickesallee und markieren Sie den Weg, den Kommissar Müller gefahren ist.

Teil 2

1. Was notiert sich Kommissar Müller nach dem Gespräch mit Grete Willmers und dem Telefonat mit der Gerichtsmedizin? Machen Sie Stichpunkte.

Hildmann: erst seit ein paar Monaten in der Bettinastraße

2. Stadtplan. Arbeiten Sie zu zweit. Wo haben Thomas Müller und Uwe Peikert einen Kaffee getrunken? Markieren Sie die Straße im Stadtplan und beschreiben Sie den Weg dahin.
3. Finden Sie im Text alle Sätze mit *nachdem* und Plusquamperfekt.

Teil 3

1. Finden Sie in den Teilen 1 bis 3 alle Wörter zum Thema Krimi und Polizei und machen Sie eine Liste.
2. Mit wem muss Kommissar Müller unbedingt noch sprechen? Machen Sie eine Liste.

3. Stadtplan. Finden Sie den Palmengarten. Das Café Siesmayer liegt in der Straße, die den gleichen Namen hat. Arbeiten Sie zu zweit. Jede/r markiert auf dem Plan einen Weg von der Siesmayerstraße in die Bettinastraße. Vergleichen Sie dann Ihre Wege.
4. Finden Sie im Text die Satzteile, die einen Infinitiv mit *zu* einleiten.

Teil 4

1. Warum haben sich Jutta Schäfer und Stefan Hildmann im Flur gestritten? Was glauben Sie? Machen Sie sich Stichworte. Überprüfen Sie sie am Ende.
2. Lesen Sie den Text mit verteilten Rollen. Achten Sie auf die Betonung. Sie brauchen einen Erzähler und diese Rollen: Kommissar Müller, Kommissar Peikert und Robert Kosch.

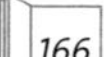

3. Stadtplan. Wo klingelt das Handy von Kommissar Müller? Markieren Sie im Plan.
4. Finden Sie im Text alle Verben im Präteritum und ergänzen Sie den Infinitiv und das Partizip II.

Teil 5

1. Markieren Sie mit zwei Farben im Text. Wer spricht: Thomas Müller oder Uwe Peikert?
2. Thomas Müller schreibt eine SMS an Klaus. Was schreibt er? Schreiben Sie die SMS.
3. Finden Sie im Text alle Verben mit Präpositionen.

Der Tote im Westend – Zusatzmaterialien

Teil 6

1. Was bestellt Kommissar Müller im Café Siesmayer?
   Spielen Sie die Szene zu zweit.
2. Finden Sie im Text alle Sätze mit *um … zu* und notieren Sie sie.

Teil 7

Sammeln Sie die Tatmotive. Wer könnte Stefan Hildmann erstochen haben? Warum? Wer hat ein Alibi? Wer nicht?

146

Die Auflösung. Nach dem Hören!

Lesen Sie den Text auf Seite 146. Was ist richtig? Kreuzen Sie an.

1. Welchen Beruf hatte der Täter / die Täterin?
   a) ☐ Journalist/in b) ☐ Ingenieur/in c) ☐ Bankangestellte/r
2. Warum wurden die Daten gefälscht?
   a) ☐ um Erfolg im Job zu haben b) ☐ um die Kosten zu verstecken
3. Wovor hatte der Täter / die Täterin Angst?
   a) ☐ den Job zu verlieren b) ☐ den/die Partner/in zu verlieren
4. Womit wurde Stefan Hildmann getötet?
   a) ☐ Pistole b) ☐ Schraubenzieher c) ☐ Messer

Alle zusammen Das war's – Der Krimi

Ausstellung. Schreiben Sie die Namen von den Personen (s. S. 126) und von den Orten

(Polizeipräsidium, Bettinastraße 12, Café Siesmayer) je auf ein großes Blatt. Jede/r notiert, was, was er/sie zu den Personen und Orten weiß. Ergänzen Sie auf zwei Blättern ein ☺ (was mir besonders gut gefallen hat) und ein ☹ (was mir nicht gefallen hat). Hängen Sie die Blätter auf und gehen Sie gemeinsam durch die Ausstellung.

Interessantes über Frankfurt am Main

Die Mainmetropole Frankfurt

Frankfurt am Main ist mit über 688 000 Einwohnern die fünftgrößte Stadt Deutschlands. Die hessische Metropole gehört zu den bedeutendsten europäischen Finanz-, Messe- und Dienstleistungszentren. Eine der größten Wertpapierbörsen; die Deutsche Bundesbank und die Europäische Zentralbank haben hier ihren Sitz. Der internationale Frankfurter Flughafen, der große Hauptbahnhof und das dichte Autobahnnetz rund um Frankfurt machen die Stadt zu einem der wichtigsten Verkehrsknotenpunkte in Europa. Aber Frankfurt hat mit über 60 Museen und zahlreichen Theatern (darunter die berühmte Alte Oper) auch ein abwechslungsreiches kulturelles Programm anzubieten. Und wer shoppen will, der findet auf der Zeil, Frankfurts bekanntester Einkaufsstraße, alle großen Marken und Kaufhäuser.

Das Frankfurt Quiz

1. **Arbeiten Sie in 5 Themen-Gruppen. Schreiben Sie pro Begriff eine Karte mit Stichwörtern wie im Beispiel. Recherchieren Sie die Informationen im Internet oder in einem Reiseführer. Benutzen Sie Ihr Wörterbuch.**

1. Sehenswürdigkeiten

die Frankfurter Wertpapierbörse: seit November 2010 neues Gebäude „The Cube" in Eschborn

Römer – Museumsufer – Paulskirche

2. Frankfurter Spezialitäten

Handkäs mit Musik: ein bestimmter Käse mit einer Essig-Zwiebel-Soße

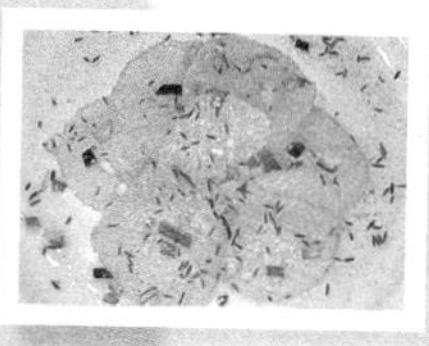

Grüne Soße – Ebbelwoi – Frankfurter Kranz

3. Typisch für Frankfurt

Ironman Frankfurt: der längste Sporttag in Frankfurt, 3,86 km schwimmen, 180,2 km Rad fahren, einen Marathon laufen

Frankfurter Buchmesse – Museumsuferfest – IAA: Internationale Automobilausstellung

4. Berühmte Frankfurter

Johann Wolfgang von Goethe: geboren am 28.8.1749, gestorben am 23.3.1832, großer deutscher Autor, schrieb den „Faust"

Otto Hahn – Anne Frank – Steffi Jones

5. Partnerstädte

Birmingham zweitgrößte Stadt in Großbritannien, fast 1 Mio. Einwohner, seit 1966 Partnerstadt von Frankfurt

Budapest

Gunagzhou – Lyon – Toronto

2. **Jede/r nimmt eine Karte. Laufen Sie durch den Raum und suchen Sie sich eine/n Partner/in. Lesen Sie Ihre Stichworte vor. Ihr/e Partner/in rät. Tauschen Sie dann die Karten. Machen Sie weiter und wechseln Sie die Partner.**
3. **Legen Sie die Karten wieder zu den Themen zurück. Würfeln Sie ein Thema*. Wer die richtige Antwort weiß, darf die Karte behalten. Wer hat die meisten Karten?**

*6 = freie Auswahl

Grammatik kompakt

Verben

Konjunktiv II

Mit dem Konjunktiv II kann man

1. *Wünsche und Unwirkliches äußern:* Ich wäre gern Millionär, aber ich habe kein Geld.
   Ich würde gern ans Meer fahren.
   Ich wüsste gern mehr über dich.
2. *Ratschläge geben / Vorschläge machen:* Du könntest doch mal eine neue Sprache lernen.
   Du solltest mal etwas Neues ausprobieren.
3. *höfliche Bitten äußern:* Hätten Sie mal einen Moment Zeit für mich?
   Würden Sie uns bitte die Rechnung bringen?
   Könntest du mir deinen Stift leihen?

haben*, *sein* und *wissen

	haben	**sein**	**wissen**
ich	hätte	wäre	wüsste
du	hättest	wärst	wüsstest
er/sie/es	hätte	wäre	wüsste
wir	hätten	wären	wüssten
ihr	hättet	wärt	wüsstet
sie/Sie	hätten	wären	wüssten

Tipp
Fast wie im Präteritum, aber mit zwei Pünktchen:
hatte ➨ hätte
war/warst ➨ wäre/wärst
wusste ➨ wüsste

mit *würde* + *Infinitiv*

Die meisten Verben bilden den Konjunktiv mit *würde* + Infinitiv

	werden	
Ich	würde	gern ins Kino gehen.
Du	würdest	gern in den Zoo gehen.
Er/Sie/Es	würde	gern ins Theater gehen.
Wir	würden	gern unsere Freunde treffen.
Ihr	würdet	gern ins Restaurant gehen.
Sie	würden	gern etwas zusammen machen.

von *Modalverben*

	sollen	**können**	**müssen**
ich	sollte	könnte	müsste
du	solltest	könntest	müsstest
er/sie/es	sollte	könnte	müsste
wir	sollten	könnten	müssten
ihr	solltet	könntet	müsstet
sie/Sie	sollten	könnten	müssten

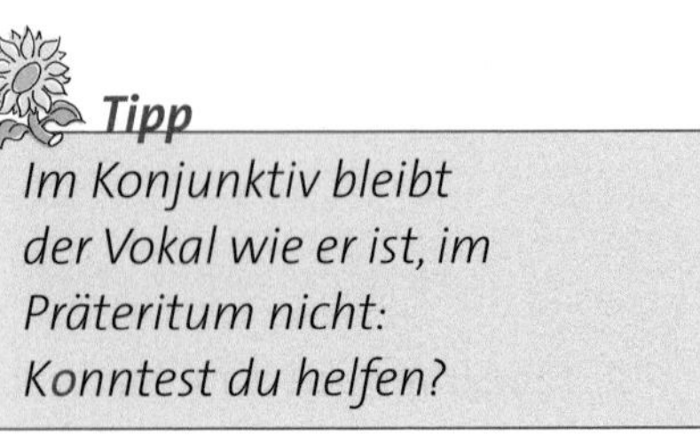

Tipp
Im Konjunktiv bleibt der Vokal wie er ist, im Präteritum nicht:
Konntest du helfen?

Das *werden*-Passiv im Präsens und Präteritum

Aktiv	*Passiv* Partizip II ▼
Die Bauern verkaufen ihre Hühner. (Akkusativ)	Die Hühner (Nominativ) werden verkauft.

Das *werden*-Passiv bildet man mit einer Form von *werden* + Partizip II.
Man benutzt es, wenn es nicht so wichtig ist, **wer** etwas tut, aber man betonen möchte, **was** getan wird, zum Beispiel in Gebrauchsanweisungen, Zeitungsberichten etc.

Präteritum: Gestern wurden alle Hühner verkauft.

Im Präteritum Passiv ändert sich nur die Form von *werden*:
Ich wurde geweckt, weil du angerufen wurdest. Er wurde gestern angerufen, aber wir wurden nicht angerufen. Wurdet ihr angerufen? Sie wurden auch nicht angerufen.

Das *sein*-Passiv im Präsens

Das Restaurant ist geöffnet. Die Tische sind gedeckt.
Jetzt können die Gäste kommen.

Das *sein*-Passiv wird mit einer Form von *sein* + Partizip II gebildet.
Es beschreibt ein Ergebnis und drückt einen Zustand aus:

Ich bin geschminkt. Du bist frisch gekämmt.
Das Esssen ist frisch gekocht. Wir sind geschminkt.
Ihr seid frisch gekämmt. Die Nudeln sind frisch gekocht.

Das Verb *lassen*

Ich schneide meine Haare nicht selbst.
Ich lasse meine Haare schneiden.

Mit dem Verb *lassen* + Infinitiv sagt man, dass man etwas nicht selbst macht.
Du lässt deine Fenster putzen. Er lässt seinen Garten machen. Wir lassen unser Auto reparieren. Ihr lasst das Haus streichen und die Kinder lassen ihre Fahrräder fertig machen.

Im Perfekt gibt es 1x haben, 2x Infinitiv und **kein** Partizip:
Ich habe mein Fahrrad reparieren lassen. Du hast dein Fahrrad reparieren lassen. Er hat ...

Sie kennen jetzt drei unpersönliche Formen: Sätze mit *man*, mit *lassen* und das Passiv:
Man bezahlt die Rechnung. Ich lasse die Rechnung bezahlen. Die Rechnung wird bezahlt.

Präteritum

Die Brüder Grimm kamen in Hanau auf die Welt.
Sie verbrachten ihr ganzes Leben zusammen.
Gemeinsam sammelten sie Märchen.

	regelmäßig	*unregelmäßig*	*Mischform*	*werden*
ich	lebte	kam	dachte	wurde
du	lebtest	gingst	brachtest	wurdest
er/sie/es	lebte	rief	wusste	wurde
wir	lebten	kamen	mochten	wurden
ihr	lebtet	nahmt	ranntet	wurdet
sie/Sie	lebten	lasen	kannten	wurden

Tipp

Das Präteritum verwendet man meistens in Zeitungen, Geschichten, Märchen und Biografien, seltener in der gesprochenen Sprache.
1. Person = 3. Person
ich lebte ➨ er/sie/es lebte   ich ging ➨ er/sie/es ging

	wollen	**sollen**	**können**	**müssen**	**dürfen**
ich	wollte	sollte	konnte	musste	durfte
du	wolltest	solltest	konntest	musstest	durftest
er/sie/es	wollte	sollte	konnte	musste	durfte
wir	wollten	sollten	konnten	mussten	durften
ihr	wolltet	solltet	konntet	musstet	durftet
sie/Sie	wollten	sollten	konnten	mussten	durften

Sollen *hat im Präteritum und im Konjunktiv II die gleichen Formen.*

Tipp

Lernen Sie die Verben immer mit Präteritum und Partizip II.
kommen – kam – gekommen

Plusquamperfekt

Der Wecker hatte schon dreimal geklingelt. Erst dann bin ich aufgestanden.
Er war gestern angekommen. Sein Koffer stand noch im Flur.

Das Plusquamperfekt bildet man mit dem Präteritum von *haben* oder *sein* und dem Partizip II. Man benutzt es, wenn man **in der Vergangenheit** sagen möchte, dass etwas **vorher** passiert ist.

Pronomominaladverbien

Woran? – daran, worauf? – darauf, worüber? – darüber, womit? – damit, ...

Denkst du an das Konzert morgen? — Natürlich denke ich daran.

Freust du dich auf das Konzert? — Ich freue mich sogar sehr darauf.

Ärgerst du dich über den Preis? — Nein, darüber ärgere ich mich nicht. Das ist es wert.

Wofür interessieren sich die Festspielbesucher? — Für Musik.

Worauf freuen sich diesen Sommer wieder viele Menschen? — Auf die vielen Festivals.

Wozu gehört die Berlinale? — Zu den wichtigsten Filmfestivals.

Bei Aussagen verbindet man da + (r) + Präposition. Bei Fragen wo + (r) + Präposition.

Tipp

Das r braucht man, wenn die Präposition mit einem Vokal anfängt: darauf – worüber aber: womit

Pronominaladverbien verwendet man bei **Sachen**. Bei **Personen** verwendet man die Präposition und das Pronomen oder die Präposition und das Fragewort:

Denkst du **an ihn**? — Natürlich denke ich an ihn.
An wen denkst du? — An dich.
Auf wen freust du dich? — Auf ihn.
Mit wem gehst du zu dem Konzert? — Mit dir.

Nomen

Ich will von deinem Tellerlein essen und in deinem Bettchen schlafen.

Die Endungen -chen und -lein machen große Sachen klein, der Artikel **das** *muss immer sein.*

Der Satz

Irreale Bedingungssätze mit *wenn* und Konjunktiv II

Wenn ich Millionär wäre,	würde ich ein Schloss kaufen.
Wenn ich ein Flugzeug hätte,	würde ich nach Afrika fliegen.

Infinitivsätze mit *zu*

Ich habe Lust,	ins Kino zu gehen.
Ich habe vergessen,	mein Geld mit**zu**nehmen.
Es ist schön,	mit meiner Freundin den Film zu sehen.

Nach bestimmten Ausdrücken steht der Infinitiv mit *zu*. Dann steht der Infinitiv am Satzende. Vor dem Infinitiv steht ein *zu*.

Nomen:	Ich habe Angst/Zeit/(das) Glück/Lust/den Wunsch, ein Haus zu bauen.
Verben:	Ich habe vergessen/versucht/beschlossen, den Schlüssel mit**zu**nehmen.
	Ich hoffe, dich zu sehen. Ich lerne, mehr an mich zu denken.
	Ich muss anfangen/beginnen/aufhören, immer „nein" zu sagen.
Adjektive:	Es ist wichtig/schön/schwierig/interessant, mit weniger Geld zu leben.
	Ich bin froh/glücklich/stolz, hier zu sein.

Nebensätze mit *um ... zu* + Infinitiv

Nebensatz	*Hauptsatz*
Um die Umwelt zu schützen,	fahre ich weniger Auto.
Um ein**zu**kaufen,	nehme ich das Fahrrad.
Hauptsatz	*Nebensatz*
Ich brauche das Auto,	um zur Arbeit zu fahren.

Wenn ein Satz zwei verschiedene Subjekte hat, funktioniert nur *damit*.
Ich brauche das Auto, **damit** die Kinder in die Schule kommen.
aber: Ich brauche das Auto, damit ich zur Arbeit komme.
Ich brauche das Auto, um zur Arbeit zu kommen.

Damit-Sätze *und* ***um ... zu-Sätze*** *drücken einen Zweck aus. Man kann mit* ***wozu?*** *nach ihm fragen.*

Indirekte Fragesätze mit W-Wörtern

Hauptsatz	*Nebensatz*	
Ich frage mich,	was	ich machen soll.
Er/Sie fragt sich,	wer	heute kocht.
Ich überlege,	wann	der Film anfängt.
Mich interessiert,	wie	es dir geht.
Wir überlegen,	wo	er wohnt.
	warum	er ein zweites Haus hat.

Dass-Sätze mit Pronominaladverbien

Pronominaladverbien können auch auf einen Nebensatz hinweisen.

Hauptsatz	*Nebensatz*
Ich **freue mich** wahnsinnig darauf,	**dass** ich am Samstag meinen alten Freund Frank (sehe).
Ich **ärgere mich** so darüber,	**dass** ich keine Karten mehr (bekommen habe).

Nebensätze mit *bevor*

Hauptsatz	*Nebensatz*
Er musste sich noch umziehen,	bevor die Party (anfing).
Nebensatz	*Hauptsatz*
Bevor ich dich (kennengelernt habe),	war ich lange allein.

Nebensätze mit *nachdem*

Hauptsatz	*Nebensatz*
Er hat mir erst geantwortet,	nachdem ich ihm schon dreimal (geschrieben hatte).

Nebensatz	*Hauptsatz*
Nachdem der Wecker dreimal (geklingelt hatte),	bin ich endlich aufgestanden.
Nachdem der Frosch ins Bett (gekommen war),	warf die Prinzessin ihn an die Wand.

Der Nebensatz steht im Plusquamperfekt. Der Hauptsatz steht im Präteritum oder Perfekt.

Nebensätze mit *obwohl*

Hauptsatz	*Nebensatz*
Wir essen viel Fleisch,	obwohl Gemüse viel gesünder (ist).
Nebensatz	*Hauptsatz*
Obwohl ich keine Milch (vertrage),	esse ich oft Eis mit Sahne.

Obwohl *und* **trotzdem** *drücken einen Widerspruch aus:*
Obwohl es regnet, gehe ich spazieren.
Es regnet. Trotzdem gehe ich spazieren.
So kann man auswählen, was man betonen möchte: den Regen oder den Spaziergang.

Der Relativsatz

Relativsätze im Nominativ, Akkusativ und Dativ

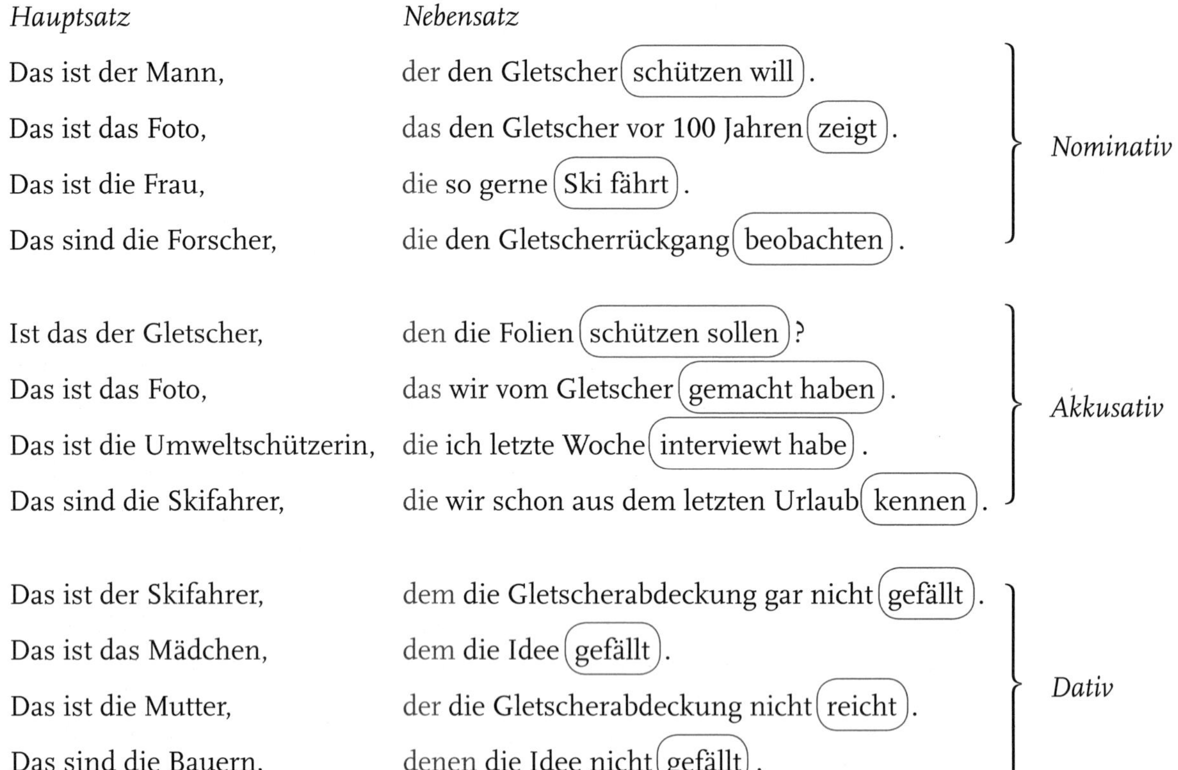

Hauptsatz	*Nebensatz*	
Das ist der Mann,	der den Gletscher schützen will.	*Nominativ*
Das ist das Foto,	das den Gletscher vor 100 Jahren zeigt.	
Das ist die Frau,	die so gerne Ski fährt.	
Das sind die Forscher,	die den Gletscherrückgang beobachten.	
Ist das der Gletscher,	den die Folien schützen sollen?	*Akkusativ*
Das ist das Foto,	das wir vom Gletscher gemacht haben.	
Das ist die Umweltschützerin,	die ich letzte Woche interviewt habe.	
Das sind die Skifahrer,	die wir schon aus dem letzten Urlaub kennen.	
Das ist der Skifahrer,	dem die Gletscherabdeckung gar nicht gefällt.	*Dativ*
Das ist das Mädchen,	dem die Idee gefällt.	
Das ist die Mutter,	der die Gletscherabdeckung nicht reicht.	
Das sind die Bauern,	denen die Idee nicht gefällt.	

Relativsätze können am Satzende oder in der Satzmitte stehen:
Das Mädchen, dem die Idee gefällt, heißt Louisa.

Relativsätze mit Präposition (Akkusativ und Dativ)

Der Reporter,	mit dem wir gesprochen haben, ist vom Zürcher Tagblatt.
Ist das der Artikel,	für den du dich so interessierst?
Die Winterferien,	auf die er sich freut, verbringt er in Garmisch-Partenkirchen.
Er freut sich auf die Winterferien,	in denen er immer Ski fährt.

Bei Relativsätzen mit einem Verb mit Präposition steht die Präposition vor dem Relativpronomen. Das Relativpronomen steht im Akkusativ oder Dativ. Das hängt von dem Verb mit Präposition ab.

Hörtexte

Hier finden Sie alle Hörtexte, die nicht in den Einheiten und Übungen abgedruckt sind.

Kursbuch-CD

1 Über das Lernen

2 a) + b)

Text 1: Als Kind habe ich Klavier gelernt und meine Mutter wollte, dass ich jeden Tag übe. Darauf hatte ich keine Lust und so habe ich mich dann immer nur kurz vor dem Unterricht hingesetzt und das Stück gelernt, sodass meine Klavierlehrerin nicht merken konnte, dass ich die Woche über faul war.

Text 2: Als ich 14 Jahre alt war, habe ich mir den rechten Arm gebrochen. Und dann musste ich mit der linken Hand schreiben, in der Schule. Ja, das war doof und lustig gleichzeitig. Ich habe wie in der 1. Klasse angefangen. Zuerst die einzelnen Buchstaben und dann einzelne Wörter und dann ganze Sätze. Am Anfang ging es sehr langsam, aber mit der Zeit, so in der zweiten Woche, war es besser. Ja, und dann, zum Schluss, konnte ich mit beiden Händen gleich gut schreiben.

Text 3: Vor drei Jahren wollte ich Spanisch lernen. Der Anfang war schwer, denn ich hatte schon lange nichts mehr gelernt. Das Lernen im Kurs, ich hab' an einer VHS in Spandau gelernt, hat mir aber Spaß gemacht. Schwer war aber das Hörverstehen. Wenn die Kursleiterin gesprochen hat, konnte ich sie oft nicht verstehen. Und als ich dann in Spanien war, war es noch komplizierter. Ich hab' sehr gern Vokabeln gelernt. Ich hab' mir Vokabelkarten gemacht. Auf dem Weg zur Arbeit und auf dem Weg nach Hause, in der S-Bahn, hatte ich immer circa 20–30 Vokabelkarten dabei, und die bin ich dann durchgegangen. Auf den Vokabelkarten waren auch Wörternetze, zum Teil, und dann habe ich immer die Vokabeln aussortiert, die ich schon konnte. Und zum Schluss hatte ich dann fünf oder sechs, mit denen ich besondere Probleme hatte. Heute kann ich Spanisch ganz gut lesen – sprechen? Na ja.

Text 4: Ich tanze schon einige Jahre lang Standardtänze und wollte jetzt argentinischen Tango tanzen lernen, weil es so schöne, traurige Musik ist, und wir meldeten uns in einer Tanzschule für ... an, die Tangokurse anbot. Und ja, fühlten uns am Anfang wieder wie Anfänger. Man musste mitzählen und ... äh ... die Füße wollten einfach nicht das tun, was die Musik sagte. Aber nach einigen Stunden kamen die Schritte dann doch in den Füßen an, also vom Kopf in den Füßen. Es wurde alles etwas automatischer und damit ... ja, war es einfach sehr schön. Man konnte sich ... konnte die Musik genießen und hatte keine Probleme mehr, im Takt und im Rhythmus zu bleiben und dann hat's richtig Spaß gemacht.

5 a)

1. Sie hören jetzt vier Wörter. Sie hören sie zweimal. Schreiben Sie die Wörter nicht mit: *erklären, langsam, Frage, Übung*. Sie haben jetzt 30 Sekunden Zeit. Merken Sie sich die Wörter. Schreiben Sie die Wörter jetzt auf ein leeres Blatt Papier.
2. Sie hören vier neue Wörter. Sie hören sie zweimal. Sie können die Wörter im Buch mitlesen. Schreiben Sie die Wörter nicht mit: *sich merken, schwierig, Wörterbuch, Hausaufgabe*. Sie haben 30 Sekunden Zeit. Merken Sie sich die Wörter. Klappen Sie das Buch zu. Schreiben Sie die Wörter jetzt auf ein leeres Blatt Papier.

3. Sie hören vier neue Wörter. Sie hören sie zweimal. Sie können die Wörter im Buch mitlesen und auch mitschreiben: *mitschreiben, richtig, Fehler, Diskussion*. Klappen Sie das Buch zu und legen Sie die Notizen weg. Erklären Sie Ihrem Kursnachbarn / Ihrer Kursnachbarin die Wörter. Dazu haben Sie eine Minute Zeit. Schreiben Sie die Wörter jetzt auf ein leeres Blatt Papier.
4. Sie hören vier neue Wörter. Sie hören sie zweimal. Sie können die Wörter im Buch mitlesen und auch mitschreiben: *wiederholen, Satz, Prüfung, Reihenfolge*. Verbinden Sie immer zwei Wörter im Kopf zu einer kleinen Geschichte oder einem Bild. Klappen Sie das Buch jetzt zu und legen Sie Ihre Notizen weg. Erzählen Sie Ihre Geschichte oder Ihr Bild Ihrem Kursnachbarn / Ihrer Kursnachbarin. Dazu haben Sie eine Minute Zeit. Schreiben Sie die Wörter jetzt auf ein leeres Blatt Papier.

13 a)

1. Wir konnten es nicht fertig machen.
2. Wir wären gern früher fertig geworden.
3. Hätten Sie heut' Zeit für mich?
4. Sie dürften jetzt Zeit haben.
5. Sie mussten die Hausaufgabe gestern abgeben.

2 Märchenwelten

2

1: Als Kind hat mir meine Oma immer Märchen vorgelesen. Das war toll, ich habe die Geschichten von Prinzessinnen geliebt.
2: In Märchen können auch Schwache stark sein. Das ist wichtig für Kinder. Märchen sind auch gut für ihre Fantasie.
3: Ja genau. Es gibt immer einen Konflikt zwischen Gut und Böse. Das macht sie spannend. Aber ich hatte als Kind auch oft Angst, weil in Märchen oft Schreckliches passiert.
Zum Glück gibt es immer ein Happy End.
4: Märchen sind auch heute noch modern. Das sieht man an den vielen Disney-Filmen, die es im Kino gibt und die alte Märchen neu erzählen.
5: Jedes Land hat seine eigene Märchenkultur. Das finde ich sehr spannend. Am liebsten mag ich Märchen aus Lateinamerika.

9 b) und c)

Dornröschen war ein schönes Kind, schönes Kind, schönes Kind.
Dornröschen war ein schönes Kind, schönes Kind.
Da kam die böse Fee herein, Fee herein, Fee herein.
Da kam die böse Fee herein, Fee herein.
Dornröschen, du sollst sterben, sterben, sterben.
Dornröschen, du sollst sterben, sterben.
Da kam die gute Fee herein, Fee herein, Fee herein.
Da kam die gute Fee herein, Fee herein.
Dornröschen, schlafe hundert Jahr, hundert Jahr, hundert Jahr!
Dornröschen, schlafe hundert Jahr, hundert Jahr!

Da wuchs die Hecke riesengroß, riesengroß, riesengroß.
Da wuchs die Hecke riesengroß, riesengroß.
Da kam ein junger Königssohn, Königssohn, Königssohn.
Da kam ein junger Königssohn, Königssohn.
Der schnitt die Hecke mittendurch, mittendurch, mittendurch.
Der schnitt die Hecke mittendurch, mittendurch.
Dornröschen wachte wieder auf, wieder auf, wieder auf.
Dornröschen wachte wieder auf, wieder auf.
Da feierten sie ein Hochzeitsfest, Hochzeitsfest, Hochzeitsfest.
Da feierten sie ein Hochzeitsfest, Hochzeitsfest.

13

Moderator: Guten Tag, liebe Hörerinnen und Hörer! Schön, dass Sie heute wieder eingeschaltet haben, wenn wir Ihnen Interessantes aus der Filmwelt vorstellen. Heute sprechen wir mit Susanne Zupke. Frau Zupke, Sie organisieren das Kinoprogramm im Rex-Kino. Das ist ein kleines Kino in der Nähe von Hamburg. Welche Filme zeigen Sie in diesem Monat?

Frau Zupke: Ja, guten Tag. In diesem Monat haben wir das Thema „Märchenhafte und fantastische Filmwelten" und zeigen Filme für Kinder und Erwachsene.

Moderator: Fantasy-Filme gibt es ja viele in den letzten Jahren, so z. B. „Harry Potter", aber auch andere. Was können wir bei Ihnen sehen?

Frau Zupke: Den Anfang macht der Film „Tintenherz" aus dem Jahr 2008. Der Film ist ein Fantasy- und Action-Film nach dem Bestseller von Cornelia Funke.

Moderator: Das Buch war wunderbar. Fast wie ein Märchen. Wann läuft der Film?

Frau Zupke: Täglich um 18 Uhr. Wenn Sie Märchen mögen, dann empfehle ich Ihnen aber auch den Disney-Film „Küss den Frosch".

Moderator: Ach, das ist ein Zeichentrickfilm zu dem Märchen „Der Froschkönig", oder?

Frau Zupke: Ja, im Prinzip schon, aber der Film ist eine moderne Variante von dem Märchen. Als die Kellnerin Tiana den Frosch küsst, verwandelt sich Tiana in einen Frosch und nicht der Frosch in einen Prinzen. Aber mehr sage ich nicht, sehen Sie sich den Film lieber an.

Moderator: Um wie viel Uhr läuft „Küss den Frosch"?

Frau Zupke: Jeden Tag um 15:30 Uhr und am Wochenende auch um 11 Uhr.

Moderator: Den Film sehe ich mir am Wochenende mit meinen Kindern an. Und haben Sie noch einen Tipp für mich?

Frau Zupke: Ja, natürlich. Ab nächster Woche zeigen wir den Film „Slumdog Millionaire". Der Film hat im Jahr 2009 insgesamt neun Oscars bekommen und erzählt ein modernes Märchen aus Indien, natürlich mit Happy End.

Moderator: Frau Zupke, nun machen wir erstmal eine kurze musikalische Pause, danach sprechen wir weiter über ihr Kino ...

16 a)

1. Taschen – 2. Kännchen – 3. Tässchen – 4. Menschen – 5. Männchen – 6. Dornröschen – 7. Kirchen – 8. Kirschen – 9. Flaschen – 10. Fläschchen

c)

Tellerchen – Menschen – Sachen – Fläschchen – Küsschen – Wäsche – Bettchen – Kirchen – Männchen – Kirschen – Tellerchen – Hühnchen

3 Werte und Wünsche

3
b)

◀ Die Firma Mercer macht jedes Jahr eine weltweite Umfrage, die die Lebensqualität in Großstädten vergleicht. ▮ Das ist ja interessant!
Sieben Großstädte in D A CH sind unter den Top Ten.
Auf dem ersten Platz liegt Wien.
Die Studie vergleicht insgesamt 211 Großstädte.
Mercer verkauft die Daten an Regierungen und internationale Firmen, die Mitarbeiter ins Ausland schicken wollen.
Jede Stadt bekommt für insgesamt 39 Kriterien Punkte.

14

a) Ich wohne jetzt seit zwei Jahren hier. Als Musiker arbeite ich abends und komme spät nach Hause und brauche vormittags meinen Schlaf. Aber meine Wohnung liegt direkt neben dem Kindergarten und der Lärm macht mich verrückt. Die Kinder lachen ja nicht nur, sondern sie schreien auch und das tut mir in den Ohren weh. Deshalb bin ich der Meinung, dass es um den Kindergarten eine Lärmschutzmauer geben sollte.
b) Wir wohnen auch hier in der Nähe, aber Lärm ist das für uns nicht. Es gibt doch nichts Schöneres, als von einem Kinderlachen geweckt zu werden. Ich finde es gut, dass hier so viel Leben ist. Wir alten Leute leben manchmal sowieso zu ruhig und da sind die Kinder eine herrliche Abwechslung. Eine Lärmschutzmauer – das ist doch totaler Quatsch.
c) Die Situation im Blumenviertel ist problematisch. Es gibt viele Bürger, die sich über den Kinderlärm beschweren und eine Lärmschutzmauer fordern. Es gibt aber auch viele, die dagegen sind. Als Gemeinderätin muss ich beide Seiten zusammenbringen und versuchen, einen Kompromiss zu finden.
d) Wir vom Kinderschutzbund machen uns Sorgen. Immer mehr Menschen finden, dass Kinder stören. Aber Kinder sind Kinder. Sie sind eben laut und das gehört zu unserem Leben dazu. Dass sich Leute darüber aufregen und dass man sie auch noch ernst nimmt, zeigt nur, wie kinderfeindlich unsere Gesellschaft ist. Deshalb bin ich gegen eine Lärmschutzmauer.
e) Für uns als Erzieherinnen ist es sehr schwierig. Es ist kein gutes Gefühl, den Kindern sagen zu müssen, dass sie leise sein sollen, weil es die Nachbarn stört. Und wir können auch nicht die ganze Zeit mit ihnen drinnen bleiben und die Fenster zumachen. Und wenn dann auch noch eine Lärmschutzmauer kommt, haben wir endgültig das Gefühl, im Gefängnis zu sein.

16 a)

1. packen – 2. danken – 3. tippen – 4. können

b)

packen – backen	tanken – danken
tippen – dippen	können – gönnen

4 Klima und Umwelt

9 a) + b)

Gletscher	– Gletschersterben
Steckdose	– funkgesteuerte Steckdose
Umweltschutz	– Umweltschutzgruppe
Zugspitze	– Zugspitzbahn
Wintersport	– Wintersportort
Naturschutz	– Naturschutzprojekt

11 a)

Moderatorin: Ja, grüß Gott, liebe Hörerinnen und Hörer, wir senden heute bei frühsommerlichem Wetter vom Markplatz in Garmisch-Partenkirchen, Deutschlands Wintersportort Nummer 1. Sie haben es sicher schon in den Nachrichten gehört: Die Zugspitze hat auch in diesem Frühjahr wieder einen Sonnenhut. Der Gletscher hat eine Abdeckung bekommen, um ihn vor der Sonne zu schützen. Wir möchten deshalb heute ein paar Leute fragen, wie sie das finden. Wir stehen hier gerade an einem Bratwurststand und ich schau mal, wer mit mir reden möchte ... Hallo, darf ich Sie mal etwas fragen?

Passant 1: Na klar, worum geht es denn?

Moderatorin: Um die Gletscherabdeckung auf der Zugspitze ...

Passant 1: Also, ich find's super. Ich bin ja Skifahrer und da hoffe ich natürlich, länger Skifahren zu können. Es wird ja immer wärmer. Ich komm' nämlich jedes Jahr zum Skifahren her. Bei uns in Berlin gibt's ja keene Berge ...

Moderatorin: Ja, vielen Dank. Und Sie, Sie kommen sicher aus der Gegend, oder? Was meinen Sie denn?

Passant 2: Ja, wir leben schon seit 40 Jahren hier, aber wissen's das ist wirklich ein Schmarrn. Meine Frau und ich, wir haben einen Bauernhof und ich find', man sollte mit der Natur leben und sie nicht verändern. Und was das auch jedes Jahr kostet, also uns gefällt das überhaupt nicht.

Moderatorin: Neben mir steht eine junge Dame, die frage ich doch auch gleich mal nach ihrer Meinung. Was denkst denn du über den Gletscher?

Mädchen: Also, meine Mama hat gesagt, dass sie das nicht so gut findet. Aber ich finde es prima, weil ich Angst habe, dass es sonst in ein paar Jahren überhaupt keinen Schnee mehr gibt und ich liebe Schnee!

Moderatorin: Dann sind Sie wohl die Mutter von dem kleinen Mädchen, oder?

Mutter: Stimmt, ja die Louisa hat's ja schon gesagt, ich weiß nicht so recht ... Ich denke, es reicht nicht, nur den Gletscher im Sommer abzudecken. Das löst nicht das Problem, wir müssen uns grundsätzlich etwas überlegen. Den Klimawandel kann man nicht mit ein paar Planen stoppen.

Moderatorin: Ja, ganz herzlichen Dank für diese Meinungen, leider müssen wir wegen einer Verkehrsmeldung kurz unterbrechen ... Achtung Autofahrer, auf der A7 Kempten Richtung Memmingen befindet sich ...

5 Aktuell und kulturell

1

Unser Kinotipp heute: Tintenherz. Der Film basiert auf der Romanvorlage von Cornelia Funke und erzählt die Geschichte von Meggie. Ihr Vater kann Figuren aus Büchern zum Leben erwecken, indem er aus den Büchern vorliest. Was mit den realen Menschen in der Tintenwelt geschieht, könnt Ihr Euch ab heute im Kino anschauen. Der Film läuft ...
Durch die Freundschaft mit Franz Marc war August Macke in den Jahren vor dem ersten Weltkrieg zu den Künstlern des „Blauen Reiter" gestoßen. Mit ihnen verband ihn die Vorstellung einer Malerei ...
Bin ich denn abermals betrogen? Verschwindet so der geisterreiche Drang, Dass mir ein Traum den Teufel vorgelogen, Und dass ein Pudel mir entsprang? ...

13 c) und e)

Im brasilianischen Sao Paulo kommen Vertreter aus 40 Großstädten aus aller Welt zusammen – darunter New York, Berlin und Moskau. Bei der dreitägigen Konferenz geht es um den Klimaschutz. Im Mittelpunkt steht die Frage, wie die Städte den Kohlendioxidausstoß reduzieren können. Die Metropolen nehmen im Kampf gegen die Erderwärmung eine wichtige Rolle ein.

Die US-Raumfähre Endeavour ist sicher zur Erde zurückgekehrt. Nach 16 Tagen im All landete sie am Morgen deutscher Zeit in Cape Canaveral in Florida. Es war ihr letzter Weltraumeinsatz. Die Endeavour ist die jüngste der US-Raumfähren. Sie ersetzte die 1986 explodierte Challenger und absolvierte insgesamt 25 Weltraumreisen.

Nach der Panne im Zentralabitur in Nordrhein-Westfalen haben rund 3.000 Schüler das Angebot genutzt, ihre Mathematikarbeiten neu zu schreiben. In der Mathematikklausur hatte es einen Fehler gegeben. Das sagte Schulministerin Löhrmann im Schulausschuss des Landtags. Die Grünen-Politikerin entschuldigte sich dabei auch für eine neue Panne.

Der Wechsel von Fußball-Nationaltorwart Manuel Neuer zu Bayern München ist perfekt. Die Verantwortlichen des FC Schalke 04 stimmten einem Transfer zur kommenden Saison zu. Neuer erhält in München einen Fünfjahresvertrag. Neuers Nachfolger bei Schalke wird Ralf Fährmann von Absteiger Eintracht Frankfurt.

Das Wetter: Bis in den Abend hinein heiter und trocken bei Temperaturen bis zu 25 Grad, nur im Süden etwas Regen. In der Nacht Abkühlung auf 13 bis 8 Grad. Morgen wieder sonnig, im Süden einzelne Schauer und Gewitter. 18 bis 27 Grad. Die Aussichten: Auch am Samstag sonnig, bei Temperaturen von 21 bis 29 Grad.

6 Gut essen

5 a)

Andrea: Ich kann nicht alles im Bioladen kaufen. Das ist mir zu teuer. Aber ich achte darauf, wie viel Zucker oder Fett etwas enthält.

Thomas: Ich habe eigentlich keine Zeit, mir beim Einkaufen alle Zutatenlisten anzusehen. Aber ich bin gegen Nüsse allergisch und muss darauf achten.

David: Es wäre natürlich gut, wenn man sich genauer informieren würde, aber ich bin da ein bisschen faul und denke nicht so sehr an die Folgen.

Julia: Meine Kinder sollen sich gesund ernähren, deshalb schaue ich genau, was ich kaufe.

Max: Ich möchte nicht immer lesen, dass alles so schlecht und ungesund ist. Warum leben wir dann so viel länger als früher? Es kann also nicht so schlimm sein. Ich kaufe, worauf ich Lust habe.

6

…
Schokolade, Schokolade, Schokolade
die essen wir alle so gern.
Die Wissenschaft hat festgestellt, festgestellt, festgestellt,
dass Limonade Saft enthält, Saft enthält.
Drum trinken wir auf jeder Reise, jeder Reise, jeder Reise,
Limonade literweise, literweise.
Limonade, Limonade, Limonade,
die trinken wir alle so gern.

12 a)

Ramón: Ich möchte mich gerne für deine Hilfe bei der Prüfung bedanken. Darf ich dich zum Essen einladen?
Diego: Das war doch selbstverständlich.
Ramón: Das finde ich nicht. Also kommst du mit? Ich kenne ein gemütliches Restaurant.
Diego: Okay, gerne. Wann?
Ramón: Wie wäre es mit morgen Abend?
Diego: Morgen kann ich leider nicht. Übermorgen?
Ramón: Ja gut. Um acht Uhr?
Diego: Ja, das passt.
Ramón: Ich hol' dich ab.
Diego: Schön. Ich freu' mich. Bis dann.

13

Ramón: Guten Abend, wir haben einen Tisch auf Rodríguez reserviert.
Kellner: Einen kleinen Moment bitte. Ja, kommen Sie. Darf ich Ihnen schon Getränke bringen?
Ramón: Haben Sie eine Weinkarte?
Kellner: Aber selbstverständlich! Hier bitte.
Ramón: Hmm … Diego, wollen wir uns einen halben Liter Rotwein teilen?

Diego: Danke, aber lieber nicht. Ich muss noch fahren. Für mich einen Traubensaft, bitte.

Kellner: Tut mir leid, Traubensaft haben wir nicht. Wir hätten Orangensaft, Apfelsaft, Ananassaft ...

Diego: Dann einen Apfelsaft, bitte.

Kellner: Gerne. Und für Sie? Haben Sie gewählt?

Ramón: Ja, ich nehme dann ein Glas von dem Rioja, bitte.

Kellner: Wissen Sie auch schon, was Sie essen wollen?

Ramón: Nein, könnten Sie uns etwas empfehlen?

Kellner: Heute ist das Tagesgericht sehr zu empfehlen. Es gibt Spaghetti mit Fenchel-Orangen-Soße.

Ramón: Das klingt interessant. Das hätte ich gerne.

Kellner: Möchten Sie die Soße scharf?

Ramón: Nein, bitte ganz mild.

Diego: Für mich das Omelette mit Pilzen, bitte.

Kellner: Hätten Sie auch gern eine Vorspeise? Eine Suppe oder einen Salat?

Diego: Nein, danke.

Kellner: Okay, dann vielen Dank, die Getränke kommen sofort ... So bitte einmal das Tagesgericht und für Sie das Omelette. Kann ich sonst noch etwas für Sie tun?

Ramón: Nein, herzlichen Dank. Schmeckt's dir?

Diego: Ja, das Omelette ist sehr gut und dein Essen? ... Ramón, alles okay? Geht es dir nicht gut?

7 Dienstleistungen

1 a) + b)

Dialog 1: ◂ Hier Ihre Rechnung bitte. ▮ 250,– Euro? Verdammt, so viel! Da muss ich erst zur Bank.

Dialog 2: ◂ Da ist ein Haar in der Suppe. ▮ Igitt, das ist ja eklig.

Dialog 3: ◂ So, das wird schön. Wir ... ▮ Aua, Sie haben mir ins Ohr geschnitten!

Dialog 4: ◂ Ich habe ein Paket für Sie. ▮ Für mich? ◂ Ja genau, für Sie.

Dialog 5: ◂ Ich müsste mal vor, danke! ▮ Also bitte.

Dialog 6: ◂ Ich hab den Job leider nicht bekommen. ▮ Tja, das Leben ist hart.

Dialog 7: ◂ Ich wollte eigentlich ein Doppelzimmer haben. ▮ Ach so.

Dialog 8: ◂ Das ist ein neues Rezept. Schmeckt es dir? ▮ Hmmm, sehr gut.

Dialog 9: ◂ Stell dir vor, ich habe gerade Johnny Depp gesehen. Er trainiert hier. ▮ Wirklich?

6 a)

Angestellter: Bitte!

Sandra: Guten Tag. Ich habe heute diese Nachricht im Briefkasten gefunden: Mein Päckchen wurde in die Altpapiertonne gelegt.

Angestellter: Das kann nicht sein. Das ist gar nicht erlaubt.

Sandra: Ist aber so. Schauen Sie, hier ist der Zettel.

Angestellter: Unglaublich.

Sandra:	Tja, und heute wurde das Altpapier abgeholt und mein Päckchen ist weg. Jetzt möchte ich gerne wissen, wer für den Schaden aufkommt.
Angestellter:	Das kann ich Ihnen leider auch nicht sagen. Wir haben mit der Zustellung ja nichts zu tun. Da müssten Sie im Servicecenter anrufen. Die können Ihnen sicher weiterhelfen.
Sandra:	Hätten Sie die Nummer für mich?
Angestellter:	Selbstverständlich. Hier, auf dem Prospekt finden Sie die Telefonummer und die Anschrift.
Sandra:	Vielen Dank.

14

Und hier unser Kalenderblatt von heute. Der 8. November ist der Weltputzfrauentag. Die Idee zu diesem Tag hatte die Krimiautorin Gesine Schulz. Ihre Romanheldin, Karo Rutkowsky, Putzfrau und Privatdetektivin ist am 8. November geboren und deshalb wählte die Autorin diesen Tag zum Tag der Putzfrau.
Über 900.000 Beschäftigte (Männer und Frauen) arbeiten als Gebäudereiniger, so der offizielle Name für diesen Ausbildungsberuf. Aber die tatsächliche Zahl ist höher, denn neben den Angestellten in Reinigungsfirmen arbeiten vor allem viele Frauen in privaten Haushalten. Oft ohne, dass ...

16

◖ Kaufen Sie selbst ein? ▮ Ich doch nicht, ich lasse einkaufen!

20

Detlef Cordes: Das Lied vom Frisör
Man kann es lieben oder hassen,
man muss die Haare schneiden lassen.
Wenn man niemanden kennt, der das kann
muss man zum Frisör gehen dann.
Was kommt dabei heraus?
Man sieht hoffentlich hinterher besser aus.

Die Haare wachsen immer weiter,
fallen in die Augen, dann wird's heiter.
Weil man irgendwann
nichts mehr sehen kann.
Oder man macht sich auf dem Kopf
einen kleinen Zopf.
Der Frisör fängt an zu schnippeln
und an mir herum zu zippeln.
Das ist überhaupt nicht fein,
doch es muss nun einmal sein.
Was kommt dabei heraus?
Ich seh' hoffentlich hinterher besser aus.

Der Tote aus dem Westend. Ein Krimi in 7 Teilen

Die Auflösung

Als er am Polizeipräsidium angekommen ist, sitzen in seinem Büro Silke Kosch und Uwe Peikert. Silke Kosch ist eine attraktive Frau um die 40 mit langen, braunen Haaren. Thomas Müller begrüßt die beiden. „Guten Tag, Frau Kosch, grüß dich Uwe." „Guten Tag, Herr Kommissar", antwortet Silke Kosch leise. „Hallo Thomas, schön, dass du gleich gekommen bist. Nun ja, unser Fall ist jetzt wohl gelöst, aber das erzählt dir Frau Kosch besser selbst." Silke Kosch schluchzt, dann aber spricht sie schnell und ohne Pause. „Wissen Sie, ich bin Umwelttechnikerin und arbeite schon seit zehn Jahren für meine Firma. Auch bei uns wurde das Thema Solarfenster immer wichtiger. Ich finde das Ganze ja Unsinn, aber mein Chef war ganz begeistert von der Idee. Er wollte so schnell wie möglich Solarfenster bauen. Er hoffte auf einen großen Erfolg und wollte der Erste sein. Ich musste immer mehr arbeiten und immer mehr Daten sammeln. – Ja und dann," Silke Kosch holt tief Luft, „dann habe ich irgendwann angefangen, die Daten zu fälschen. Es ging einfach nicht anders, die Arbeit wurde immer mehr und der Druck wurde immer größer. Ich hatte Angst um meinen Job." Sie holt nochmals tief Luft, dann sagt sie: „Ja, und dann kam Stefan Hildmann mit seiner Greenpeace-Aktion und diesen Informationen über Solarfenster. Mein Chef wurde sehr wütend. Er wollte wissen, woher Greenpeace diese Informationen hatte. Ich bekam Panik. Stefan Hildmann hatte mich um Informationen gebeten, aber ich hatte sie ihm natürlich nicht gegeben, weil die Daten ja gefälscht waren. Aber woher sollte er dann meine Daten bekommen haben? Plötzlich hatte ich eine Idee, ich erinnerte mich an den Streit zwischen Jutta Schäfer und Stefan Hildmann im Hausflur. Mein Mann hatte mir erzählt, dass auch sie sich um Informationen gestritten hatten. Frau Schäfer ist ja auch Umwelttechnikerin wie ich. Ich dachte, dass Stefan Hildmann vielleicht irgendwie in unsere Computer gekommen ist. Ich musste so schnell wie möglich mit ihm reden und dann ..." „Und dann", ergänzt Thomas Müller, „haben Sie mit ihm gesprochen und er hat ihnen erzählt, dass er die beiden Computer gehackt hatte, um an alle wichtigen Informationen zu kommen." „Genau, ich wurde sehr wütend. Ich erzählte ihm, dass ich die Daten gefälscht hatte. Da regte Hildmann sich furchtbar auf, er hat mir gedroht. Er wollte mich anzeigen, mit meinem Chef reden, er hatte auch Angst um seine Zukunft. Eine Masterarbeit mit gefälschten Daten, das geht gar nicht. Meine Angst wurde immer größer, ich wusste nicht, was ich tun sollte. Vor zwei Tagen dann ist es passiert. Mein Mann und ich kamen von einer Party. Wir hatten viel getrunken, ich hatte schon seit mehreren Nächten schlecht geschlafen und war total fertig. Mein Mann schlief schon, aber ich konnte nicht einschlafen und wurde immer nervöser. Da habe ich mir aus der Küche ein scharfes Messer geholt und dann ..." Silke Kosch macht eine lange Pause „dann, na ja, ich wusste, dass Stefan Hildmann jeden Morgen sehr früh aus dem Haus ging. Dann habe ich im Flur auf ihn gewartet und ..." Silke Kosch atmet schnell, aber sagt kein Wort. „Dann haben Sie ihn erstochen." sagt Kommissar Müller. „Ja," antwortet sie und schluchzt.
„Frau Kosch, ich muss sie leider verhaften."

Lerner-CD: Hörtexte der Übungen

Übungen 1

Zu 7
3c)

Moderator:	Frau Schett, man sagt, Sie könnten sich an jeden Tag seit Ihrem 12. Lebensjahr erinnern und sagen, was passiert ist. Was war denn z. B. am 26. Mai 1991?
Frau Schett:	Das war ein Sonntag. An diesem Tag stürzte ein Flugzeug von Lauda Air ab und meine Mutter hatte Erdbeerkuchen gebacken.
Moderator:	Und am 17.09.1983?
Frau Schett:	Da war die Europameisterschaft im Volleyball. Österreich schaffte die Qualifikation.
Moderator:	Können Sie erklären, wie Ihr Gehirn arbeitet?
Frau Schett:	Wenn ich ein Datum höre, laufen in meinem Kopf die Bilder ab. Sie sind wie Fernsehen. Aber es laufen immer mehrere Filme gleichzeitig. An alles, was mich persönlich oder meine Familie und Freunde angeht, erinnere ich mich am besten.
Moderator:	Kann man diese Filme im Kopf nicht stoppen?
Frau Schett:	Nein, sie sind immer da. Egal ob ich nun Fahrrad fahre, im Supermarkt einkaufe oder gerade mit Ihnen spreche.
Moderator:	Ich habe gelesen, dass Ihre Erinnerungen immer mit sehr starken Gefühlen verbunden sind ...?
Frau Schett:	Ja, ich erinnere mich nicht nur, ich erlebe den Moment wieder. Das heißt, ich fühle mich jedes Mal wieder genauso, wie ich mich in dem Moment damals gefühlt habe.
Moderator:	Das klingt sehr anstrengend.
Frau Schett:	Es kann auch nett sein. Wenn ich z. B. beim Arzt im Wartezimmer sitze, dann blättere ich oft in meinen Erinnerungen wie in einem Tagebuch. Wie war der Sommer 1988? Wie der von 1998? Jeder Tag ist anders und deshalb ist es auch schön, wenn man sich daran erinnern kann.
Moderator:	Müssen Sie dann nicht im Wartezimmer manchmal plötzlich lachen oder sogar weinen?
Frau Schett:	Nein, nein, ich kann das heute ganz gut kontrollieren. Aber Sie haben Recht: Meine Erinnerungen können manchmal sehr anstrengend sein.
Moderator:	Was würden Sie also sagen: Ist es für Sie eher etwas Gutes oder etwas Schlechtes, dass Sie sich an alles erinnern können?
Frau Schett:	Es ist beides. Viele schöne Erinnerungen würde ich vermissen. Aber ich erinnere mich leider auch an alle Fehler, die ich in meinem Leben gemacht habe. Das ist manchmal hart.
Moderator:	Man sagt, dass wir das Vergessen für unsere Gesundheit brauchen. Haben Sie Probleme damit?
Frau Schett:	Ja, natürlich. Ich kann mich oft nur schlecht konzentrieren und muss immer wieder an Dinge denken, die gerade eigentlich nicht wichtig sind. Aber ich habe gelernt – und lerne es immer noch – damit zu leben.
Moderator:	Frau Schett, vielen Dank für das Gespräch.

Zu 9
3)

Er hat zu wenig Freizeit. / Er hat zu wenig Urlaub. / Er hat zu viel Arbeit. / Er hat zu wenig Freunde. / Er hat zu viel Ärger.

Übungen 2

Zu 13

Rolle 1: Hallo. Hier ist Frank. Sag mal, hast du Lust, morgen mit mir ins Kino zu gehen?
Rolle 2: Hallo Frank. Ja gern. Hast du an einen bestimmten Film gedacht?
Rolle 1: Hast du schon den neuen Disney-Film gesehen?
Rolle 2: Nein, aber weißt du, Zeichentrickfilme finde ich nicht so toll. Ich sehe mir lieber Komödien an.
Rolle 1: Gibt es denn da gerade was Gutes?
Rolle 2: Ich glaube schon. Wie wäre es mit dem Film „Keinohrhasen" mit Till Schweiger?
Rolle 1: Läuft der denn noch? Der ist doch schon älter, oder?
Rolle 2: Ja, aber ich habe ihn noch nicht gesehen und im Rex zeigen sie ihn nochmal.
Rolle 1: Gut, ich kenne den Film auch noch nicht. Dann lass uns das machen. Wann kommt er?
Rolle 2: Morgen Abend um acht. Wenn du Lust hast, können wir vorher bei mir zusammen essen.
Rolle 1: Oh ja, gern! Und wann soll ich dann zu dir kommen? Soll ich was mitbringen?
Rolle 2: Nein, nein. Das ist nicht nötig. Komm doch so gegen halb sieben, okay?
Rolle 1: Prima. Dann bis morgen.
Rolle 2: Bis morgen. Tschüss Frank.

Prüfungsvorbereitung

Sie hören fünf kurze Texte. Sie hören jeden Text nur einmal. Entscheiden Sie bei jedem Text, ob die Aussage richtig oder falsch ist. Lesen Sie jetzt die Aussagen. Sie haben dazu 20 Sekunden Zeit. Hören Sie jetzt die Texte.

Nummer 1:
Also, ich mag am liebsten romantische Filme. Actionfilme gefallen mir gar nicht, da bekomme ich Angst oder ich langweile mich. Aber so ein Liebesfilm – ja, das ist etwas Schönes. Ich gehe ins Kino, damit ich meinen Alltag vergessen und vom Glück und von der Liebe träumen kann. Mein Lieblingsfilm ist immer noch *Pretty Woman*. Es gibt so viel Trauriges auf der Welt, das muss ich im Kino nicht auch noch sehen.

Nummer 2:
Ich bin ein echter Kinofan, aber die Geschichte muss interessant sein. Große Hollywood-Filme mag ich nicht so gern, die sind doch alle gleich. Ich gehe lieber in kleine Kinos, die auch Filme aus anderen Ländern zeigen. Ich mag zum Beispiel Dokumentarfilme wie „Unsere Erde" oder „Unsere Ozeane". Aber auch gute Spielfime. Zuletzt habe ich den Film „Almanya – Willkommen in Deutschland" gesehen. Der war klasse!

Nummer 3:
Nun ja, ich gehe nicht so oft ins Kino, das ist mir einfach zu teuer. Viele Filme sieht man schon nach kurzer Zeit im Fernsehen oder man kann sie sich auf DVD ausleihen. Neulich habe ich mir auch mal einen Film aus dem Internet runtergeladen. Aber wenn es einen richtig guten Actionfilm gibt, dann gehe ich lieber ins Kino. Das macht viel mehr Spaß. Ich brauche eine große Leinwand.

Nummer 4:
Meine Kinder lieben es, wenn wir ins Kino gehen. Deshalb gehe ich mit ihnen oft am Wochenende in die Nachmittagsvorstellung. Dann kaufen wir uns ein Getränk, eine große Tüte Popcorn und haben Spaß. Für Kinder kann Kino so aufregend sein. Aber ich würde auch gern mal wieder einen Film für Erwachsene sehen. In ein paar Jahren kann ich mit ihnen auch in was anderes als nur in Zeichentrick- und Kinderfilme gehen. Darauf freue ich mich jetzt schon.

Nummer 5:
Mein letzter Kinobesuch ist schon lange her. Ich gehe lieber ins Theater. Aber ich mag Fantasy-Filme. Ich habe die ersten fünf Harry Potter-Filme gesehen. Besonders gut gefallen hat mir das Schloss. Hogwarts hatte ich mir genauso vorgestellt. Aber für die letzten Teile bin ich nicht mehr ins Kino gegangen. Das sind schon eher Actionfilme, die sehe ich mir vielleicht mal auf DVD an.

Übungen 3

Zu 1

Reporter: Guten Tag. Herzlich Willkommen bei „Leben heute". Wir wollten wissen, welche Werte den Menschen auf der Straße ganz spontan besonders wichtig sind und haben in der Fußgängerzone Passanten gefragt: „Welche drei Dinge sind für Sie im Leben am wichtigsten?" Hören Sie Ihre Antworten.

Sprecherin 1: Oh, das ist aber eine schwierige Frage! Hm, das Wichtigste für mich sind meine Kinder, glaube ich. Und dann natürlich mein Mann. Aber für mich ist es auch wichtig, berufstätig zu sein. Ich bin Krankenschwester und ich liebe meine Arbeit!

Sprecherin 2: Sie wollen wissen, was mir im Leben am wichtigsten ist? Na, in meinem Alter ist das anders als bei den jungen Leuten. Geld und Erfolg spielen da keine große Rolle mehr. Das wichtigste für mich ist, dass mein Mann und ich gesund bleiben, denn ohne Gesundheit geht ja gar nichts mehr. Meine Familie ist mir auch sehr wichtig; ich habe fünf Enkelkinder, die mir viel Freude machen. Zweimal pro Woche passe ich auf die beiden Jüngsten auf, damit meine Tochter arbeiten kann. Es ist schön, immer noch eine Aufgabe zu haben und gebraucht zu werden.

Sprecher 3: Meine Familie ist nach Deutschland gekommen, weil es in unserem Heimatland Krieg gab. Meine Eltern erzählen viel von den schrecklichen Dingen, die sie erlebt haben. Ich denke, das Wichtigste auf der Welt ist Frieden. Ich hoffe, dass eines Tages alle Menschen friedlich miteinander leben können. Mein Vater hatte in seinem Heimatland politische Probleme, weil er nicht sagen durfte, was er wollte. Hier in Deutschland gibt es mehr Freiheit. Jeder kann sagen, was er denkt und das finde ich ganz wichtig. Aber natürlich muss es auch Gesetze geben, aber sie müssen gerecht sein. Ja, ohne Freiheit und Gerechtigkeit kann es keine wirkliche Demokratie geben.

Sprecher 4: Ich bin Manager bei einer großen Werbeagentur und mir ist der Erfolg im Beruf am wichtigsten. Ich habe hart gearbeitet, um diese Stelle zu bekommen. Ich verdiene gut und auch das ist mir wichtig, denn ich lebe gern ein bisschen im Luxus: ein teures Auto oder mal eine tolle Reise mit meiner Freundin. Sie ist mir natürlich auch wichtig, auch wenn ich leider nicht so viel Zeit für sie habe. Aber zum Glück sind wir uns da sehr ähnlich. Auch sie arbeitet viel und gern. Kinder wollen wir deshalb beide nicht.

Zu 4
1)

- Auf einer Party gehe ich immer, wenn es am schönsten ist. Denn danach kann es nur noch langweilig werden.
- Ich finde, dass man heute viel zu viel über Geld redet. Über Geld spricht man nicht!
- Man muss unbedingt Sport treiben, damit man gesund bleibt.
- Ist doch klar, dass man in einer Großstadt am glücklichsten ist. Da hat man doch alles, was man braucht: Kino, Theater, Geschäfte, Kneipen ...
- Wenn die Sonne scheint, geht alles leichter und man hat automatisch gute Laune.
- Früher war alles besser: Die Menschen hatten mehr Zeit füreinander. Heute haben alle immer Stress.
- Glück kann man lernen. Wer unglücklich ist, ist selbst schuld.

Zu 12
3)

Ich habe vergessen, meinen Vater anzurufen. / Ich habe keine Zeit, die Wohnung aufzuräumen. / Ich finde es toll, in Berlin zu leben. / Ich habe Lust, eine Weltreise zu machen. / Es ist nicht so wichtig, viel Geld zu verdienen. / Ich fange an, meine Eltern zu verstehen. / Es ist nicht leicht, eine neue Sprache zu lernen. / Es ist schön, am Wochenende früh aufzustehen.

Zu 17

1. dir – 2. Karten – 3. gern – 4. Blatt – 5. Paar – 6. dicken – 7. Pass – 8. Gabel

Übungen 4

Zu 2
2) und 3)

Hören Sie jetzt den Wetterbericht für Montag. In der Steiermark wird es bewölkt. Untertags kann es ein paar kurze Regenschauer geben. Es wird etwas wärmer, die Höchsttemperaturen liegen bei 23 Grad.
Besonders im Nord- und Mittelburgenland zeigt sich der Himmel die meiste Zeit über sonnig. Der Wind weht schwach bis mäßig aus Nordwest bis Nordost. Am Nachmittag bis zu 25 Grad.
Dichte Wolken liegen über Wien, aber es bleibt trocken. Dazu weht ein mäßiger Wind aus West bis Nordwest. Die Temperaturen erreichen am Nachmittag rund 21 Grad.
Von Norden her ziehen noch einige Wolken über Kärnten. Zwischendurch scheint aber auch die Sonne. Hier haben wir Temperaturen bis zu 28 Grad.
In Salzburg beginnt der Tag teilweise noch mit dichten Restwolken oder Nebelfeldern.
Im Tagesverlauf bilden sich zwar örtlich wieder größere Quellwolken, die Schauerneigung bleibt aber gering bei 24 Grad am Mittag.
In Teilen des Inntals und vor allem im Unterland ist dagegen mit Regen zu rechnen, dabei ist es warm; die Höchstwerte in Tirol liegen bei 26 Grad.

Zu 9

Die Umweltschutzgruppe „Menschen für Tierrechte Nürnberg e. V." kämpft gegen die Lagune im Tiergarten. 20 Tierschützer haben am Samstag Flugblätter verteilt und für die Schwimmmeister im Tierreich demonstriert.

Übungen 5

Zu 3
1) und 2)

Moderator: Hi Leute, hier ist wieder Radio Z mit einer neuen Ausgabe von „Zu zweit statt allein!" Heute ist bei mir im Studio Marie Hiller, Zahntechnikerin, 27 Jahre, wohnhaft in Würzburg. Hallo Marie.

Marie: Hallo Sven.

Moderator: Marie, die Idee unserer Sendung ist es ja, Leute zusammenzubringen, die sich für Kultur interessieren. Damit wir für dich den richtigen Partner finden, müssen wir dich natürlich erst einmal ein bisschen besser kennenlernen. Erzähl uns doch einfach mal von dir. Wie sah denn zum Beispiel deine Woche bisher aus – kulturell gesehen?

Marie: Tja, am Montag habe ich nicht so viel gemacht, weil ich unbedingt noch den Roman zu Ende lesen wollte, den ich am Wochenende angefangen hatte. Am Dienstagabend war ich mit meiner Freundin im Kino. Wir lieben beide Krimis und der Film „Schrei in der Nacht" war echt spannend. Mittwoch war nichts weiter los, ich habe nur zu Hause ein bisschen Klavier geübt. Am Donnerstag war ich in der Oper, in der Premiere von Don Giovanni. Aber das war eher Zufall. Ich mag Opern eigentlich nicht so gern. Ich gehe lieber in Konzerte, aber ein Kollege hatte mir die Karte geschenkt. Und am Freitag ... lass mich überlegen – ah ja, da wollte ich eigentlich in ein Konzert gehen, aber das ist leider ausgefallen und so bin ich einfach einen Wein trinken gegangen.

Moderator: Mannomann, da war ja schon ganz schön viel los bei dir. Da gibt es bestimmt einige Zuhörer, die mehr wissen wollen. Liebe kulturell interessierten Männer, bitte ruft jetzt an, wenn ihr eine Frage an Marie habt. Die Nummer ist die ...

Zu 5
4)

Ich freue mich auf das Klavierkonzert. / Ich habe mich mit ihm verabredet. / Ich denke an ein Treffen mit ihm. / Ich warte auf eine Nachricht. / Ich träume von einer Hochzeit. / Ich ärgere mich über deine Fragen.

Zu 9

gut – verstehst du dich gut – Mit wem verstehst du dich gut?
dich – engagierst du dich – Wofür engagierst du dich?
gestern getroffen – hast du dich gestern getroffen – Mit wem hast du dich gestern getroffen?
geärgert – hast du dich geärgert – Worüber hast du dich geärgert?
dich – bedankst du dich – Bei wem bedankst du dich?

Übungen 6

Zu 9
3)

Herzlich Willkommen bei unserer Sendung, „Erfindungen aus aller Welt". Diese Woche interessieren wir uns für Haushaltsgeräte. Sie begleiten uns jeden Tag und ein Leben ohne diese Geräte können wir uns gar nicht mehr vorstellen. Aber seit wann gibt es sie eigentlich? Wussten Sie zum Beipiel, dass schon 1906 der erste Staubsauger auf den Markt gebracht und 1908 der erste Toaster produziert wurde? Aber natürlich hatten zu dieser Zeit nur sehr wenige Menschen so ein elektrisches Gerät. Ihre Oma hat den Staub bestimmt noch mit der Hand entfernt, oder?
1927 wurde in den USA der erste Kühlschrank in großer Zahl produziert. Der „Top Monitor" war ein Verkaufshit und schon in den 50er Jahren hatten auch in Deutschland die meisten Haushalte einen Kühlschrank. Dagegen wurde die erste elektrische Kaffeemaschine recht spät erfunden, nämlich 1954. Liebe Hörer und Hörerinnen, all diese kleinen Helfer begleiten unseren Alltag. Sagen sie uns, auf welches Gerät Sie am wenigsten verzichten würden. Rufen Sie jetzt an unter ...

Zu 12

Rolle 1: Hallo, du bist es. Was gibt´s?
Rolle 2: Ja hallo. Wir haben jetzt alles ausgepackt, endlich! Jetzt möchte ich mich gerne für deine Hilfe bei unserem Umzug bedanken. Darf ich dich zum Essen einladen?
Rolle 1: Das habe ich doch gerne gemacht. Aber klar, ich freue mich über die Einladung.
Rolle 2: Hast du Lust, mit mir zum Italiener zu gehen?
Rolle 1: Oh, ja sehr gerne. Ich liebe italienisches Essen. Wann denn?
Rolle 2: Morgen Abend? Um acht? Ich hole dich ab, okay?
Rolle 1: Sehr gerne und vielen Dank. Bis morgen.

Zu 13

Siehe Hörtext zu Einheit 6, Aufgabe 13, Seite 143

Prüfungsvorbereitung

Sie hören ein Gespräch. Sie hören es zweimal. Sie entscheiden bei jeder Aufgabe, ob die Aussage richtig oder falsch ist. Lesen Sie jetzt die Aufgaben 1 bis 7. Sie haben 40 Sekunden Zeit. Jetzt hören Sie das Gespräch:

Moderator: In unserer Sendung „Thema aktuell“ sprechen wir heute mit Carlo Petrini von Slow Food International über die Frage: Schmeißen wir zu viele Lebensmittel weg?

Petrini: Diese Frage müssen wir mit „Ja“ beantworten, denn fast 50 Prozent von unseren Lebensmitteln werden weggeworfen. In Wien hat man festgestellt, dass man mit dem Brot, das dort täglich weggeworfen wird, 250.000 Menschen satt machen könnte. Und wenn man 100 Gramm Rindfleisch wegwirft, wirft man auch noch acht bis zwölf Kilogramm Futter weg, die das Rind gefressen hat. Diese Verschwendung ist ein großes Problem. Deshalb müsste die Frage heißen: Wie können wir das ändern?

Moderator: Warum wird denn so viel weggeworfen?

Petrini: In den meisten Industrienationen sind die Lebensmittel zu billig. In Deutschland geben Haushalte nur circa elf Prozent von ihrem Einkommen für Lebensmittel aus. Es gibt zu viele Sonderangebote und Aktionen wie z. B. „Kaufen Sie zwei, bezahlen Sie eins!“. Die Leute kaufen mehr als sie brauchen und werfen einen großen Teil dann weg. Lebensmittel haben keinen wirklichen Wert mehr. Nur wenn etwas knapp und teuer ist, hält man es für wertvoll.

Moderator: Sie sprechen von den Privathaushalten, aber was ist mit den Supermärkten?

Petrini: Sie haben Recht. Dort fängt das Problem an. Denn die Supermärkte werfen unglaubliche Mengen an Lebensmitteln weg, die eigentlich noch nicht schlecht sind. Obst und Gemüse, das nicht mehr perfekt aussieht, kommt abends in den Müll. Ein anderes großes Problem ist das Haltbarkeitsdatum, das sich auf jedem Produkt befindet. Die Supermärkte werfen Produkte weg, die das Haltbarkeitsdatum erreicht haben, obwohl sie noch gut sind. Aber auch zu Hause werfen viele Leute diese Produkte einfach in den Müll. Früher prüfte jeder, ob man den Joghurt, die Milch oder das Fleisch noch verwenden konnte. Sehen, riechen und schmecken war ganz normal, um die Qualität zu prüfen. Das könnte auch heute noch jeder machen. Denn das Mindesthaltbarkeitsdatum sagt nur, wie lange ein Produkt mindestens gut ist.

Moderator: Glauben Sie, dass Gesetze etwas ändern können?
Petrini: Die Politik muss sicher darüber nachdenken, wie man die Wirtschaft zu einem vernünftigeren Handeln bewegen kann. Aber das kann dauern. Deshalb müssen vor allem wir selbst, also wir als Verbraucher und Kunden, unser Verhalten ändern. Brauchen wir wirklich Erdbeeren zu Weihnachten und Spargel im September? Muss das Obst und Gemüse, das wir kaufen, immer so perfekt aussehen? Und vor allem sollten wir nicht mehr einkaufen als wir tatsächlich verbrauchen. Nahrungsmittel müssen wieder einen Wert haben!

Übungen 7

Zu 2
1) und 2)

1. ◀ Gestern habe ich eine tote Maus in der Küche gefunden. ▮ Igitt!
2. ◀ Schmecken dir meine Spaghetti? ▮ Hmmmm.
3. ◀ Ich hatte eigentlich einen Rotwein bestellt und keinen Weißwein. ▮ Ach so!
4. ◀ Wir sollten mal wieder zusammen essen gehen. ▮ Ja genau!
5. ◀ Ich gehe für ein Jahr nach Australien. ▮ Wirklich?
6. ◀ Morgen ist die Deutschprüfung. Hast du gelernt? ▮ Verdammt.
7. ◀ Ich hatte noch gar keine Zeit zum Lernen, weil ich arbeiten musste. ▮ Tja.
8. ◀ Der Typ nervt. Was macht der Idiot denn!! ▮ Also bitte!

Zu 13
3)

Packst du gleich deinen Koffer? / Bringst du die Koffer zum Flughafen? / Reservierst du die Zimmer? / Wählst du einen Ausflug aus? / Mietest du dir ein Auto? / Machst du nichts selbst?

Zu 17

Rolle 1: Guten Tag. Was kann ich denn bei Ihnen tun?
Rolle 2: Ich hätte gern einen ganz neuen Haarschnitt. Ich möchte nicht mehr so langweilig aussehen.
Rolle 1: Okay, Wie viel kürzer soll es denn sein?
Rolle 2: So, ungefähr bis hier. Also, bis zum Kinn. Die Frisur sollte modern aussehen.
Rolle 1: Ich habe da ein paar Bilder ... Sehen Sie mal, der Schnitt würde Ihnen gut stehen.
Rolle 2: Ja, das kann ich mir vorstellen. Aber die Farbe ist ganz anders.
Rolle 1: Ich kann Ihnen ein paar Strähnchen machen.
Rolle 2: Was würde das denn kosten?
Rolle 1: Alles zusammen, also Waschen, Schneiden, Färben nur 45 Euro.
Rolle 2: Okay, dann fangen Sie mal an. Aber bitte nicht zu kurz!

Alphabetische Wörterliste

Die alphabetische Liste enthält den neuen Wortschatz der Einheiten und der Übungen.
Namen, Zahlen und grammatische Begriffe sind in der Liste nicht enthalten.
Wörter in *kursiv* müssen Sie nicht lernen.

Ein · oder ein – unter dem Wort zeigt den Wortakzent:
ạ = kurzer Vokal a̲ = langer Vokal

Nationale Varietäten. Die deutsche Standardsprache ist u. a. in Deutschland (D), in Österreich (A) und in der Schweiz (CH) zu Hause. Aber manche Wörter benutzt man nicht in allen Ländern. Beispiel: *Sa̲hne* (D), *die*, *: in Deutschland; *Schlag* (A), *der*, *: in Österreich; *Rahm* (CH), *der*, *: in der Schweiz.

Nach den Nomen finden Sie immer den Artikel und die Pluralform.
Zum Beispiel: Antrag, der, "-e = der Antrag, die Anträge
" = Umlaut im Plural
* = Es gibt dieses Wort nur im Singular.

Die Zahlen geben an, wo das Wort zum ersten Mal vorkommt (z. B. 5/4 bedeutet Einheit 5, Aufgabe 4 oder Ü5/4 Übungsteil der Einheit 5, Übung zu 4).

A

ạbdecken, deckte ạb, ạbgedeckt 4/10b
ạblehnen, lehnte ab, ạbgelehnt 6/7d
Ạblehnung, die, -en 3/0
ạbräumen, räumte ạb, ạbgeräumt 7/10
ạbschalten, schaltete ạb, ạbgeschaltet 1/7a
ạbschließen (D, CH), schloss ạb, ạbgeschlossen 7/10
Ạbschnitt, der, -e 1/7a
ạbsuchen, suchte ạb, ạbgesucht 7/S. 75
Abte̲ilung, die, -en 7/6c
Ạbwasser, das, Abwässer 4/Extra
Ạctionfilm, der, -e 2/12
a̲hnen 7/4a
Akti̲on, die, -en 2/Extra
Aktivịst/in, der/die, -en/-nen 5/S. 55
aktuẹll 5/0
al dẹnte 6/14b
Ạlpen, die, Pl. 4/1a
Also bịtte! 7/1b
Ạmtssprache, die, -n 1/Extra
analysi̲eren 4/3b
ạnbraten, briet ạn, ạngebraten 6/17
ạnfassen, fasste ạn, ạngefasst 1/4a
ạnfühlen (sich), fühlte (sich) ạn, ạngefühlt 6/1a
Ạngebot, das, -e 3/3a
Ạnliegen, das, - 7/4a
Ạnrede, die, -n 7/7
Ạnsage, die, -n 3/S. 35
ạnstellen (sich), stellte (sich) ạn, ạngestellt 7/3
Ạntrag, der, "-e 7/10
Ạnweisung, die, -en 7/10
Ạnwohner/in, der/die, -/-nen 3/14
Ạpfelschorle, die, -n 7/S. 75
Ạpfelstrudel, der, - 6/14b
ạ̈rgerlich 7/1b
Argumẹnt, das, -e 3/19b
Aro̲ma, das, Aromen 6/4a
Ạschenbecher, der, - 7/10
Ato̲mkraft, die, * 3/2
A̲u̲a! 7/1b
A̲u̲fforderung, die 7/0
a̲u̲fkommen für, kam a̲u̲f, a̲u̲fgekommen 7/6c
a̲u̲flegen, legte ạuf, ạufgelegt 7/4a
a̲u̲fnehmen, nahm a̲u̲f, a̲u̲fgenommen 1/1a
a̲u̲fschließen (D, CH), schloss a̲u̲f, a̲u̲fgeschlossen 7/10
a̲u̲fsperren (A),sperrte a̲u̲f, a̲u̲fgesperrt 7/10
A̲u̲genblịck, der, -e 5/4a
a̲u̲sdenken, dachte a̲u̲s, a̲u̲sgedacht 1/14
a̲u̲sdrücken, drückte a̲u̲s, a̲u̲sgedrückt 1/0
A̲u̲sführung, die, -en 7/10
a̲u̲sleeren, leerte a̲u̲s, a̲u̲sgeleert 7/10
a̲u̲smachen, machte a̲u̲s, a̲u̲sgemacht 3/11c
a̲u̲sprobieren, probierte a̲u̲s, a̲u̲sprobiert 1/7b
a̲u̲sschalten, schaltete a̲u̲s, a̲u̲sgeschaltet 4/3b
a̲u̲sschlafen, schlief a̲u̲s, a̲u̲sgeschlafen 3/14

außerdem Ü2/7
äußern 1/0
Aussicht, die, -en 5/14b
aussortieren, sortierte aus, ausssortiert 1/7a
ausstellen, stellte aus, ausgestellt 7/Extra
automatisch 1/1a
Autor/Autorin, der/die, -en/-nen 4/3a

B

Babynahrung, die, * 4/Extra
Backware, die, -n 6/Extra
Bakterie, die, -n 6/4a
Band (Musik), die, -s 5/4a
bearbeiten 1/7a
bedanken 5/9a
befragen 3/S. 35
begeistern (für) 4/16c
Beichtstuhl, der, "-e 4/3b
Beitrag, der, "-e 7/4a
Bekämpfung, die, * 2/Extra
bekleben 1/14
belächeln 6/7d
belegen 3/3a
Beobachtungsbogen, der, "-en 3/22
berichten 3/S. 35
berufstätig (sein) 3/S. 35
beruhigen (sich) 7/7
beschließen, beschloss, beschlossen 3/5b
Beschwerde, die, -n 7/6b
beschweren (sich) 7/0
besetzt (sein) 3/S. 35
Besitz, der, * 3/5b
besonderer, besonderes, besondere 4/3b
Bestellung, die, -en 6/13a
bestimmter, bestimmtes, bestimmte 3/3a
Besucher/in, der/die, -/-nen 5/4a
betonen 3/Extra
bevor 7/0
bewerten 7/20b
Bewertung, die, -en 7/20b
Bibliothekar/in, der/die, -e/-nen Ü2/7
Bildung, die, * 3/1a
binden, band, gebunden 4/3b
bio 6/4a
blond 7/Extra
Blut, das, * 1/7a
böse 2/5
braten, briet, gebraten 6/17a
Bratkartoffel, die, -n 6/15
breit 4/10b
Breite, die, -n 4/Extra
brennen, brannte, gebrannt 6/18
Briefkasten, der, "-en 7/4a
Brücke, die, -n 3/Extra
brummen 5/0
brünett 7/Extra
Brunnen, der, - 2/4
Brust, die, "-e 1/13b
Butterbrot, das, -e 6/Extra

C

campen 5/4a
Camping, das Ü5/4
circa 4/3b

D

dafür 4/11a
dagegen 4/11a
darauf (auch: darauf) 5/6
Darsteller/in, der/die, -/-nen 2/6
darüber (auch: darüber) 5/8
davon (auch: davon) 5/6
Deckel, der, - 4/3b
decken 7/10
Demokratie, die, -n 3/1a
demonstrieren 3/2
Dessert, das, -s 6/14b
Diagramm, das, -e 7/20b
Dienstleistung, die, -en 7/0
dippen 3/17a
Diskretionszone, die 7/4a
Diskussion, die, -en 1/5a
dran (sein) 7/4
drauf: gut drauf sein 3/Extra
drehen 1/17a

E

eben 3/Extra
eh 3/19b
Eiche, die, -n 4/3b
eimerweise 6/6
eines Tages 2/5
einfallen, fiel ein, eingefallen 1/14
Eingang, der, "-e 7/S. 75
Einleitung, die, -en 7/7
einschätzen 4/Extra
einzeln 1/8b
einziger, einziges, einzige 1/Extra
Einzug, der, "-e 5/10
Eisbär, der, -en Ü2/7
Eiweiß, das, -e 6/4a
eklig 6/4
Elektrorasierer, der, - 4/3b
Element, das, -e 2/17a
emotional 7/0
entstehen, entstand, ist entstanden 4/3b
erben 5/10
erfahren, erfuhr, erfahren 7/S. 75
erfüllen 2/Extra
Ernährung, die, * 6/0
Eröffnung, die, -en 5/4a
erreichbar, 3/S. 35
erst einmal 7/6c
erstechen, erstach, erstochen 2/S. 25
etwa 1/Extra
Europa, das, * 1/Extra
europäisch 3/3a
exakt 4/3b
exklusiv 3/5a

Experte/Expertin, der/die, -n/-nen 1/13b
extrem 4/1a

F

Fabrik, die, -en 1/17a
falsch machen 7/17a
fälschen 7/S. 75
fantastisch 2/13
Fantasy-Film, der, -e 2/12
Farbstoff, der, -e 6/4a
faxen Ü7/7
Fee, die, -n 2/4
fegen (D) 7/19a
Fels(en), der 4/Extra
*Fenchel, der, ** 6/14
Festival, das, -s 5/4a
Festspiel, das, -e 5/4a
feststellen, stellte fest, festgestellt 6/5
fett 6/3
Filiale, die, -n 7/4
Finale, das, -/-s 5/10
finanzieren 3/5a
Fingerabdruck, der, "-e 4/S. 45
Fläche (Wohnfläche), die, -n 3/5b
Fleck, der, -en 7/Extra
fließen, floss, ist geflossen 1/7a
Flüssigkeit, die, -en 4/Extra
Flut, die, -en 4/3b
folgender, folgendes, folgende 4/16c
Folie, die, -n 4/10b
fordern 4/14
fördern 1/14
*Formel 1, die, ** 5/12
*Formfleisch, das, ** 6/4a
formulieren 1/12a
Forscher/in, der/die, -/-nen 1/8b
Fremdsprache, die, -n 1/Extra
Freundschaft, die, -en 3/1a
Frieden, der, * 3/1a
friedlich 2/Extra
frieren, fror, gefroren 4/5b
Frosch, der, "-e 2/4
Frucht, die, "-e 6/4a
*Funk (per Funk), der, ** 4/3b
funkgesteuert 4/9b
Fußabdruck, der, "-e 4/3b
Futter, das, * 6/7a

G

Gabe, die, -n 2/Extra
Gebäudereiniger/in, der/die, -/-nen 7/14
Gebiet, das, -e 7/6c
Gegensatz, der, "-e 1/14
gegenseitig 4/9c
Gegenteil (im Gegenteil), das, -e 3/5a
geheim 6/4
Geheimsprache, die, -n 1/Extra
gehen um (es geht um), ging, gegangen 2/14
Gehirn, das, -e 1/1a
Gemeindehaus, das, "-er 7/Extra
Gelegenheit, die, -en 5/4a
Gerechtigkeit, die, * 3/1a
Gericht, das, -e 6/13b
Getränk, das, -e 6/2a
Gewinn, der, -e 6/7d
Gewissen, das, * 4/3b
Glatze, die, -n 7/Extra
gleich Ü1/14
Gleiche, das, * 1/7a
gleichzeitig 1/17
Gletscher, der, - 4/1a
global 4/1
GmbH, die, -s 4/3b
Gnocci, die, - 6/14b
golden 1/14
gönnen 3/17a
Grenze, die, -n 4/Extra
Großeinkauf, der, "-e 4/3b
Grund, der, "-e 3/5d
gründen 3/5a
*Grundwasser, das, ** 4/Extra
grüßen 4/S. 45
Gutschein, die, -e 7/7

H

halten (von), hielt, gehalten 3/4a
Hasten, das 2/Extra
Hecke, die, -n 2/4
heiter 1/Extra
heizen 4/5
Held/in, der/die, -en/-nen 4/3
hereinkommen, kam herein, hereingekommen 2/9
herstellen, stellte her, hergestellt 6/4a
herumlaufen, lief herum, ist herumgelaufen 1/4c
herzlich 6/12b
Hexe, die, - 2/4
Hi 1/8b
Highlight, das, -s 5/10
Himbeere, die, -n 6/4a
hin und her 6/S. 65
hinausgehen, ging hinaus, ist hinausgegangen 3/14
hinein 7/S. 75
hintereinander 1/7a
hinunter 4/Extra
hinweisen (auf), wies hin, hingewiesen 4/16c
hochkommen, kam hoch, ist hochgekommen 2/5
Hochwasser, das, - 4/Extra
Höhe, die, -n 4/Extra
Holz, das, "-er 6/4a
Honig, der, * *(für Sorten:* -e) 6/1a
hörbar 5/1
hübsch 1/14
Hubschrauber, der, - 3/5a

I

Igitt! 7/1b
Immobilie, die, -n 5/10
Impuls, der, -e 1/7a
Infektion, die, -en Ü2/7
informieren 7/10

Infostand, der, "-e 4/16c
Ingenieur/in, der/die, -e/-nen 5/S. 55
Insekt, das, -en 6/7d
Instrument, das, -e 1/1a
Interesse, das, -n 4/10b
international 3/3a
irgendjemand 5/S. 55

J

Jahrhundert, das, -e 1/Extra
jährlich 4/16c
Joker, der, - 2/17a
Journalist/in, der/die, -en/-nen 3/16a
Jubiläum, das, Jubileen 6/12b

K

Kalorie, die, -n 1/7a
Kanton, der, -e 4/Extra
Katastrophe, die, -n 5/10a
Kategorie, die, -n 5/4a
kehren (A) 7/19a
Keller, der, - 4/3b
kinderfeindlich 3/14
Kita (D), die, -s 3/14
klassisch 5/4a
Klavier, das, -e 1/1a
kleben 6/4a
Kleinkredit, der, -e 3/5d
Klima, das, -ta 4/0
Klimawandel, der, * 4/1a
klingeln 2/11
Kloß (D), der, "-e 6/14b
Knopf, der, "-e 1/17a
Kohlendioxid, das, -e 4/3b
kommentieren 1/1b
Kommissariat, das, -e 2/S. 25
Komödie, die, -n 2/12
Kompromiss, der, -e 3/14
Konferenz, die, -en 5/13c
konkret 1/14
konsequent 4/3b
konsumieren 4/Extra
Kontra, das, * 3/19b
Konzentration, die, * 1/1a
Kopfgeldjäger/in, der/die, -/-nen 7/Extra
Kraftwerk, das, -e 3/2
Kriterium, das, Kriterien 3/3a
Krone, die, -n 2/6
krümmen 7/Extra
Kubikmeter, der, - 4/Extra
Kultur, die, -en 5/2
kulturell 5/0
künstlich 6/4a
kursiv 7/6c

L

Labor, das, -e 6/4a
Laib, der, -e 6/Extra
Lamm, das, "-er 6/7d
landen 6/Extra
Landwirtschaft, die, * 6/4a
lassen, ließ, gelassen 7/0
Lebensqualität, die, * 3/0
leeren 7/6c
leihen, lieh, geliehen 1/12b
Leistungsdruck, der, * 3/Extra
Leitfrage, die, -n 1/19
Leitungswasser, das, * 4/Extra
Lerntagebuch, das, "-er 1/19
Lexikon, das, Lexika 6/4a
Liebesfilm, der, -e 2/12
liefern 7/6c
Limousine, die, -n 3/5a
literweise 4/Extra
live 5/4a
Locke, die, -n 7/Extra
Lokalteil, der, -e 5/S. 55
Los, das, -e 3/5b
Luxusvilla, die, -villen 3/5a

M

mager 6/3
mähen 7/15
mal 1/8b
Malaria, die, * 2/Extra
Manager/in, der/die, -/-nen 3/5d
Märchen, das, - 2/0
märchenhaft 2/13
Maßnahme, die, -n 4/11
Mauer, die, -n 3/14
medium 6/14b
mehrmals 5/11
merkwürdig 1/Extra
Methode, die, -n 1/7b
Mikrokredit, der, -e 3/5d
Milchriegel, der, - 6/4a
mild 6/3
Millionär/in, der/die, -e/-nen 1/10
millionenschwer 5/10
Mini- 6/4a
Missverständnis, das, -se 7/17b
Mitarbeit, die, * 3/Extra
mitschreiben, schrieb mit, mitgeschrieben 1/4b
Moderator/Moderatorin, der/die, -en/-nen 3/21a
monatlicher 4/16c
Motivation, die, -en 1/14
motivieren 1/18a
Müesli (CH), das, -s 6/1a
Müll (D), der, * 6/Extra
Müsli (A, D), das, -s 6/1a

N

nachdem 2/0
nachdenken, dachte nach, nachgedacht 6/S. 65
nachdenklich 4/S. 45
nacherzählen, erzählte nach, nacherzählt 2/0
Nachtisch (D), der, * 6/14b
Nachspeise (A), die, -n 6/14b
Naturschutz, der, * 4/9b
Neuigkeit, die, -en 4/S. 45
Newsticker, die, -(s) 5/10b
Not, die, "-e 6/Extra
nummerieren 7/20c
nun 7/6c

nützen 2/Extra
nützlich 1/2b

O

Oberbegriff, der, -e 1/14
Objekt, das, -e 6/Extra
obwohl 6/0
offiziell 7/14
öffnen 2/5
Oh Gott! 7/S. 75
ökologisch 6/4a
Omelette, das, -s 6/14b
orange 1/6a
Organisation, die, -en 4/16c

P

Panik, die, * 4/1a
Panne, die, -n 5/13c
*Photovoltaik, die, ** 5/S. 55
Picknick, das, -e oder -s Ü4/14
Plakat, das, -e 1/15
plus 6/7d
Polizeipräsidium, das, -en 1/S. 15
Portal, das, -e 7/4
Postbote/-botin, der/die, -n/-nen 7/4a
Presse, die, * 3/5b
pressen Ü6/1
Prinz/Prinzessin, der/die, -en/-nen 2/4
Prinzip, das, -ien 3/Extra
*Privatleben, das, ** 3/S. 35
Pro, das, * 3/19b
Produkt, das, -e 6/4a
produzieren 6/4a
Professor/in, der/die, -en/-nen Ü2/7
Profi, der, -s 2/S. 25
Publikum, das, * 5/4a
Putzfrau/-mann, die/der, -en/"-er 7/14

R

Rahm (CH), der, * 6/15
Rappen, der, - 2/Extra
Rasen, der, - 7/15
Ratschlag, der, "-e 1/9a
Raumfähre, die, -n 5/13c
rauschen 4/Extra
Reaktion, die, -en 7/1
realistisch 1/1a
recherchieren 2/14
recht (sein) 6/13c
Regel, die, -n 1/14
Regierung, die, -en 3/3a
Regisseur/in, der/die, -e/-nen 5/4a
reichlich 6/17
reif 6/3
Reihenfolge, die, -n 1/5a
reklamieren 6/0
Rennen, das, - 2/Extra
rennen, rannte, ist gerannt 3/Extra
Reportage, die, -n 2/13
Requisite, die, -n 2/5a
Rest, der, -e 6/4a
retten 2/5
Retter/in, der/die, -en/-nen 4/3a
Richtung, die, -en 6/7c
Riesenparty, die, -s 5/4a
Rind, das, -er 6/7d
Rock(Musik), der, * 5/4a
roh 6/3
Rollenspiel, das, -e 1/4b
Romanfigur, die, -en 7/14
rothaarig 7/Extra
Rotwein, der, -e 6/18
Rückgang, der, "-e 4/10b
Rückseite, die, -n 5/5b
rufen, rief, gerufen 2/5

S

Sahne (D), die, * 6/15
*Salzwasser, das, ** 4/Extra
satt 3/5a
schade 4/S. 45
Schaden, der, "- 7/6c
Schaf, das, -e 6/7d
schalten (auf) 1/1a
scharf, schärfer, am schärfsten 6/3
Scheibe, die, -n 6/2a
Schild, das, -er 7/4a
schlachten 6/7b
Schlag (A), der, * 6/15
Schlagzeile, die, -n 5/S. 55
Schlange, die, -n 7/4a
schließlich 2/17a
schmelzen, schmolz, geschmolzen 4/10b
*Schmelzwasser, das, ** 4/Extra
schmieren, schmiert, geschmiert 6/Extra
schneiden, schnitt, geschnitten 2/9
schriftlich 7/7
Schutz, der, * (*Technik:* -e) 4/10b
schützen 4/1c
selbst 7/12
Selbstversuch, der, -e 4/3b
Service, der, -s 7/4b
Servicecenter, das, - 7/4a
sich befinden 4/Extra
Sicherheit, die, -en 3/1a
Sieger/in, der/die, -/-nen 5/14b
Sinn (mit allen Sinnen), der, -e 1/16
sogar 1/14
Solarfenster, das, - 6/S. 65
sommerfest 4/10b
sonst 5/13b
sorgen (für) 3/2
Soße, die, -n 6/14
spätestens 6/7d
Speisekarte, die, -n 6/7c
Spende, die, -n 2/Extra
spenden 7/Extra
Spezialität, die, -en 6/14b
Spielkamerad/in, der/die, -en/-nen 2/5
Spielplan, der, "-e 5/4a

spöttisch 6/Extra
Spur, die, -en 4/S. 45
Staat, der, -en 3/2
Stall, der, "-e 6/7c
Stand-by, *, * 4/3b
Start, der, -s 3/Extra
starten 6/7d
Statistik, die, -en 1/14
Steak, das, -s 6/14b
stehen (es steht mir), stand, gestanden 7/17a
steigen, stieg, ist gestiegen 4/10b
Stern, der, -e 2/12
Steuererklärung, die, -en 7/12
steuern 4/3b
stinken, stank, gestunken 4/5
Stockkampf, der, "-e 3/Extra
Strähnchen, das, - 7/17a
Strategie, die, -n 1/0
Streit, der, -e 4/S. 45
Stromausfall, der, "-e 4/7
Stromfresser, der, - 4/3a
Studie, die, -n 3/3a
stundenlang 5/4a
stürzen 4/Extra
Suppe, die, -n 6/13b
*Süßwasser, das, ** 4/Extra

T

Tagesablauf, der, "-e 4/8
tanken 3/17a
täuschen 1/14
Team, das, -s 5/14e
Technik, die, -en 5/10a
Tinte, die, -n 2/13a
tippen 2/S. 25
tja 7/1b
Toast, der, -s, 6/1a
toasten 4/3b
töten 3/S. 35
Toilettenspülung, die, -en 4/Extra
Ton, der, "-e 1/12
Top 10 3/3a
Topqualität, die, -en 4/Extra
Tour, die, -en 3/5a
touren 2/Extra
transparent 7/Extra
Traubenzucker, der, - 1/1a
Trend, der, -s 6/7d
trennen 4/3b
treten (an), trat, getreten 7/4a
Trick, der, -s 1/18a
*Trinkwasser, das, ** 4/Extra

U

überfliegen, überflog, überflogen 5/4a
überhaupt 3/4a
überlegen (sich) 1/14
*Umgangssprache, die, ** 1/Extra
Umwelt, die, -en 4/0
Umweltschutz, der, * 4/3b
Umweltwissenschaft, die, -en 4/S. 45
undenkbar 6/7d
ungeduldig 2/S. 25
ungewöhnlich 7/Extra
unglaublich 4/3b
Unsinn, der, * 3/4a
Unternehmen, das, - 3/3a
unterschiedlich 1/7a
Unterschriftensammlung, die, -en 4/16c
untersuchen 5/S. 55
unverschämt Ü5/6

V

*Vanille, die, ** 6/14b
Veganer/in, der/die, -/-nen 6/7b
Vegetarier/in, der/die, -/-nen 6/7d
verärgert (sein) 7/7
verbieten, verbot, verboten 3/19a
Verbrennung, die, -en 4/3b
Verdammt! 7/1b
vereinbaren 6/S. 65
*Verhalten, das, ** 3/Extra
verlassen, verließ, verlassen 1/S. 15
verlosen 3/5b
*Vermischtes, *, ** 5/10a
Vermutung, die, -en 3/5a
Verpackung, die, -en 6/2
verpassen 7/6c
verrückt (sein) 7/6c
verschwinden, verschwand, verschwunden 7/4a
*Versorgung, die, ** 1/7a
Versprechen, das, - 2/5
versprechen, versprach, versprochen 2/5
Verstehensinsel, die, -n 7/21
verstopft (sein) 7/6c
vertragen, vertrug, vertragen 6/15
verwandeln (sich) 2/4
verwöhnen 5/10
verzichten 4/4
Villa, die, Villen 3/6b
völlig 5/S. 55
Vollkornbrot, das, -e 6/1a
Vorderseite, die, -n 5/5b
Vorfall, der, "-e Ü7/7
vorhaben (etwas), hat vor, vorgehabt 6/12b
Vorspeise, die, -n 6/13c
vorsprechen, sprach vor, vorgesprochen 1/13c
Vortrag, der, "-e 1/4b

W

wahr (sein) 7/4a
weg (sein) 7/4a
weglaufen, lief weg, ist weggelaufen 2/5
wegräumen, räumte weg, weggeräumt 7/10
*Weile, die, ** 4/S. 45
weitere 3/S. 35
weiterhelfen, half weiter, weitergeholfen 7/6a

weiterleiten, leitete weiter, weitergeleitet 7/6c
Weltmeisterschaft, die, -en 5/9c
Weltsprache, die, -n 1/Extra
weltweit 1/Extra
wenigstens 5/4a
Wert, der, -e 3/0
Wespenlarve, die, -n 6/7d
westlich 6/7d
wiederfinden, fand wieder, wiedergefunden 1/Extra
wiedergeben, gab wieder, wiedergegeben 5/0
wiederkommen, kam wieder, wiedergekommen 3/S. 35
Wintersport, der, * 4/9b
wirtschaftlich 3/3a
wischen (CH) 7/19a
WLAN-Router, der, - 4/3b
wöchentlich 4/16c
wofür 5/4a
wovon 5/8
Wunder (Wunder wirken), das, - 1/14
Wunsch, der, "-e 1/0
Wüste, die, -n 4/1a

Z

zählen 7/10
zahlreich 5/4a
Zeichen, die, - 1/Extra
Zeichentrickfilm, der, -e 2/12
Zeichnung, die, -en 1/4b
Zeitdieb, der, -e 3/19a
Ziege, die, -n 6/7d
ziemlich 2/S. 25
zu Berge stehen 7/Extra
zu dritt 7/1
zugeben, gab zu, zugegeben 4/3b
zugehen (dem Ende zugehen), ging zu, zugegangen 4/10b
Zugspitze, die, * 4/9b
Zuhause, das, * 3/5b
Zum Wohl! 2/Extra
zumachen, machte zu, zugemacht 1/12a
zurückgeben, gab zurück, zurückgegeben 3/5d
zurückkommen, kam zurück, zurückgekommen 3/5a
zurzeit 3/S. 35
Zusammenfassung, die, -en 3/Extra
zusperren (A) 7/10
Zustand, der, "-e 7/8
zuständig (sein) 7/4
Zustimmung, die, * 3/0
Zutat, die, -en 6/4a
Zweck, der, -e 4/6
zweifeln (an) 5/S. 55
Zweitsprache, die, -n 1/Extra
Zwischenmahlzeit, die, -en 6/4a

Unregelmäßige Verben

Infinitiv	Präteritum	Perfekt
abhauen	sie haute ab	sie ist abgehauen
abheben	er hob ab	er hat abgehoben
abnehmen	sie nahm ab	sie hat abgenommen
anbieten	er bot an	er hat angeboten
anfangen	sie fing an	sie hat angefangen
backen	buk/backte	er hat gebacken
beginnen	sie begann	sie hat begonnen
bekommen	er bekam	er hat bekommen
beschließen	sie beschloss	sie hat beschlossen
beschreiben	er beschrieb	er hat beschrieben
bewerben (sich)	sie bewarb sich	sie hat sich beworben
binden	sie band	sie hat gebunden
bieten	er bot	er hat geboten
bleiben	sie blieb	sie ist geblieben
braten	er briet	er hat gebraten
brechen (sich etw.)	sie brach sich das Bein	sie hat sich das Bein gebrochen
brennen	es brannte	es hat gebrannt
bringen	er brachte	er hat gebracht
denken	sie dachte	sie hat gedacht
einladen	er lud ein	er hat eingeladen
entscheiden (sich für) (+ Akk.)	er entschied sich für	er hat sich entschieden für
entstehen	es entstand	es ist entstanden
erfahren	sie erfuhr	sie hat erfahren
erschrecken	er erschrak	er ist erschrocken
essen	sie aß	sie hat gegessen
fahren	er fuhr	er ist gefahren
fallen	sie fiel	sie ist gefallen
finden	sie fand	sie hat gefunden
fliegen	er flog	er ist geflogen
fließen	es floss	es ist geflossen
frieren	er fror	er hat gefroren
geben	sie gab	sie hat gegeben
gehen	er ging	er ist gegangen
genießen	sie genoss	sie hat genossen
gewinnen	er gewann	er hat gewonnen
hängen	es hing	es hat gehangen
halten	sie hielt	sie hat gehalten
helfen	er half	er hat geholfen
hinweisen auf	er wies auf etwas hin	er hat auf etwas hingewiesen
kennen	sie kannte	sie hat gekannt
kommen	er kam	er ist gekommen
können	sie konnte	sie hat gekonnt
lassen	er ließ es ...	er hat es ... lassen
laufen	sie lief	sie ist gelaufen
leihen	er lieh	er hat geliehen
lesen	sie las	sie hat gelesen

Infinitiv	Präteritum	Perfekt
liegen	er lag	er hat gelegen (D)
		er ist gelegen (DSüd A CH)
lügen	sie log	sie hat gelogen
messen	er maß	er hat gemessen
nehmen	sie nahm	sie hat genommen
pfeifen	er pfiff	er hat gepfiffen
rennen	sie rannte	sie ist gerannt
riechen	er roch	er hat gerochen
rufen	er rief	er hat gerufen
scheinen	sie schien	sie hat geschienen
schlafen	er schlief	er hat geschlafen
schließen	sie schloss	sie hat geschlossen
schneiden	er schnitt	er hat geschnitten
schreiben	sie schrieb	sie hat geschrieben
schreien	er schrie	er hat geschrien
schwimmen	sie schwamm	sie hat geschwommen
sehen	er sah	er hat gesehen
sein	sie war	sie ist gewesen
singen	er sang	er hat gesungen
sitzen	sie saß	sie hat gesessen (D)
		sie ist gesessen (DSüd A CH)
Sport treiben	er trieb Sport	er hat Sport getrieben
sprechen	sie sprach	sie hat gesprochen
springen	er sprang	er ist gesprungen
stattfinden	es fand statt	es hat stattgefunden
stehen	sie stand	sie hat gestanden (D)
		sie ist gestanden (DSüd A CH)
steigen	es stieg	es ist gestiegen
sterben	sie starb	sie ist gestorben
stinken	es stank	es hat gestunken
streichen	sie strich	sie hat gestrichen
streiten	er stritt	er hat gestritten
tragen	sie trug	sie hat getragen
treffen	er traf	er hat getroffen
trinken	sie trank	sie hat getrunken
tun	er tat	er hat getan
überweisen	sie überwies	sie hat überwiesen
überziehen	er überzog	er hat überzogen
unterhalten (sich)	sie unterhielt sich	sie hat sich unterhalten
unterstreichen	er unterstrich	er hat unterstrichen
verbieten	sie verbot	sie hat verboten
verbinden	er verband	er hat verbunden
verbringen	sie verbrachte	sie hat verbracht
vergessen	er vergaß	er hat vergessen
vergleichen	sie verglich	sie hat verglichen

Unregelmäßige Verben

Infinitiv	Präteritum	Perfekt
verlassen	sie verließ	hat verlassen
verlieren	er verlor	er hat verloren
vermeiden	sie vermied	sie hat vermieden
verschwinden	er verschwand	er ist verschwunden
versprechen	er versprach	er hat versprochen
verstehen	sie verstand	sie hat verstanden
vertragen	er vertrug	er hat vertragen
wachsen	sie wuchs	sie ist gewachsen
waschen	er wusch	er hat gewaschen
werfen	sie warf	sie hat geworfen
wiegen	er wog	er hat gewogen
wissen	sie wusste	sie hat gewusst
ziehen	er zog	er hat gezogen

Verben mit Präpositionen

mit Akkusativ:

achten	auf	Bitte achten Sie auf die Zeit.
arbeiten	an	Sie arbeitet an ihren Schwächen.
ärgern (sich)	über	Er ärgert sich über die Verspätung.
aufpassen	auf	Pass bitte auf das Baby auf.
bedanken (sich)	für	Bedank dich für das Geschenk!
begeistern	für	Er begeisterte die Kinder für die Natur.
denken	an	Ich denke den ganzen Tag an dich.
diskutieren	über	Wir diskutieren immer über das gleiche Thema.
engagieren (sich)	für	Sie engagiert sich für das Projekt.
entscheiden (sich)	für	Ich habe mich für die Spaghetti entschieden.
einigen (sich)	auf	Sie einigen sich auf einen Preis.
erinnern (sich)	an	Erinnerst du dich an deine Kindheit?
freuen (sich)	auf	Lukas freut sich auf seinen Geburtstag.
freuen (sich)	über	Wir freuen uns über die Einladung.
hinweisen	auf	Wir haben Sie auf die Öffnungszeiten hingewiesen.
hoffen	auf	Ich hoffe auf deine Hilfe.
hören	auf	Er hört nicht auf mich.
interessieren (sich)	für	Ich interessiere mich nicht für Sport.
konzentrieren (sich)	auf	Ich konzentriere mich auf die Prüfung.
reagieren	auf	Hast du schon auf das Problem reagiert?
schalten	auf	Ich schalte jetzt auf das zweite Programm.
sprechen	über	Wir müssen über das Problem sprechen.
sorgen	für	Er sorgt für seine kranke Mutter.
unterhalten (sich)	über	Wir unterhalten uns über die Reise.
verlieben (sich)	in	Sie hat sich gleich in Paul verliebt.
warten	auf	Ich warte schon seit 20 Minuten auf den Bus.

mit Dativ:

abhängen	von	Das hängt von Ihrem Gehalt ab.
auftreten	auf	Er tritt auf dem Fest auf.
bedanken (sich)	bei	Ich bedanke mich bei meinem Onkel.
berichten	von	Sie berichteten von dem Unfall auf der A1.
fragen	nach	Ich habe nach dem Termin gefragt.
gehören	zu	Du gehörst zu mir.
halten	von	Was hältst du von dem Plan?
passen	zu	Das Sofa passt nicht zum Tisch.
studieren	an	Meine Schwester studiert an der Freien Universität.
träumen	von	Ich träume von einer langen Reise.
treffen (sich)	mit	Mit wem triffst du dich am Samstag?
unterhalten (sich)	mit	Ich habe mich mit meinem Onkel unterhalten.
verabreden (sich)	mit	Ich habe mich mit deiner Mutter verabredet.
verstehen (sich)	mit	Ich verstehe mich gut mit ihr.

Frankfurt am Main

Westend

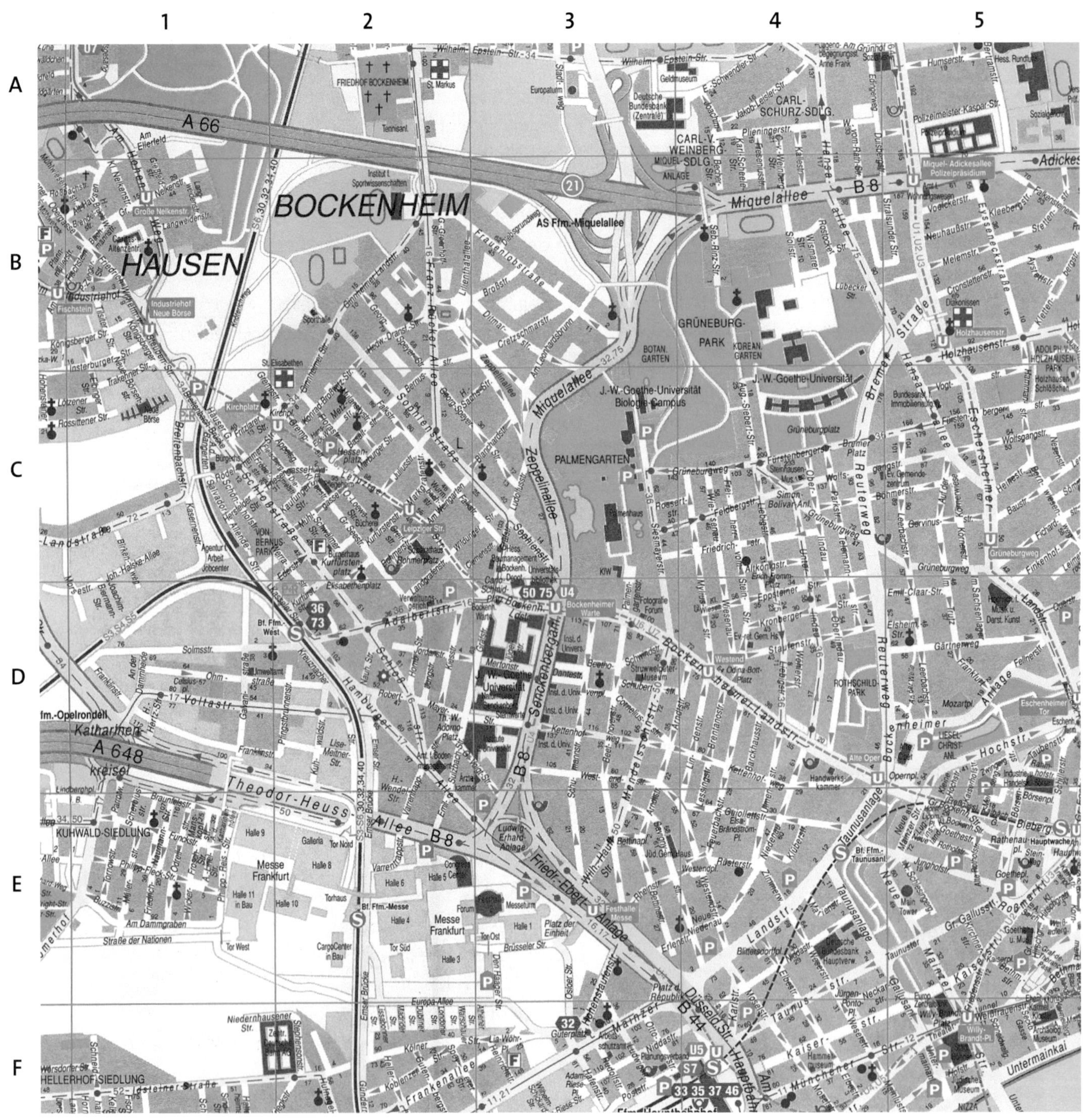

Suchen Sie:

– das Polizeipräsidium	A5
– den Palmengarten	C3
– die Mendelssohnstraße	D–E3
– die Bettinastraße	E3 (Nähe U-Bahn Festhalle/Messe)

Bildquellenverzeichnis

S. 6: © Fotolia (RF), David Pesce (Studentin) – Focal Point (Studentin) (a) – Pavel Losevsky (b) – © Shutterstock (RF), Marcio Jose Bastos Silva (c) – © Fotolia (RF), Herby (Herbert) Me (d) | S. 11: © iStockphoto (RF), fumumpa (a) | S. 12: © Cornelsen Verlag, Hugo Herold | S. 16: © Shutterstock (RF), Maugli (Mitte unten) | S. 22: © Fotolia (RF), Ancello | S. 26: © Shutterstock (RF), ETIENjones (unten links) | S. 29: © Shutterstock (RF), Rui Manuel Teles Gomez | S. 31: © Digitalstock (RF), S. Gennies | S. 36: © Fotolia (RF), contrastwerkstatt (b) – © Shutterstock (RF), Ben Jeayes (c) – Galyna Andrushko (d) | S. 42: © Fotolia (RF), Thaut Images (oben) – Wikipedia, Gemeinfrei, © Nikater (Mitte rechts) – © Fotolia (RF), Eisenhans (Mitte links) – © Shutterstock (RF), Alexey Zaytsev (unten) | S. 51: © Fotolia (RF), Tatjana Ritter | S. 56: © Cornelsen Verlag, Hugo Herold | S. 57: © Cornelsen Verlag, Andrea Finster (unten) | S. 58: © Shutterstock (RF), Chad Zuber | S. 60: © Shutterstock (RF), Shots Studio (a) – Fotolia (RF), Georg Tschannett (b) – © Digitalstock (RF), S. Woiciechowsky (c) – © Cornelsen Verlag, Hugo Herold (unten rechts) – © Fotolia (RF), mattomedia Werbeagentur (unten links) | S. 62: © Shutterstock (RF), Jean Louis Vosgien (oben links) – © Fotolia (RF) Albert Schleich (oben Mitte) – trevorb (oben rechts) – © Cornelsen Verlag, Nicola Späth (Mitte links) – © Fotolia (RF), Carmen Steiner (Mitte) – © Pixelio (RF), Karin Jung (Mitte rechts) | S. 63: © Cornelsen Verlag, Nicola Späth (unten) | S. 66: © Cornelsen Verlag, Hugo Herold | S. 67: © Fotolia (RF), Klaus Eppele | S. 68: © iStockphoto (RF), Lise Gagne | S. 73: © Wikipedia, Creative Commons 2.5 Unported, © Böhringer Friedrich (oben) – © Fotolia (RF), Amir Kaljikovic (blond) – © Shutterstock (RF), Andrey Arkusha (rot) – Light Impression (braun) – © Shutterstock (RF), coka (schwarz) | S. 77 © iStockphoto (RF), Juanmonimo | S. 83: © Fotolia (RF), C. Schiller | S. 85: © iStockphoto (RF), Kevin Klöpper | S. 86: © Cornelsen Verlag, Andrea Finster | S. 90: © Fotolia (RF), Knut Wiarda | S. 91: © iStockphoto (RF), Derek Latta (oben links) – © Fotolia (RF), Monkey Business (Mitte) – © Shutterstock (RF), B Brown (oben rechts) – © iStockphoto (RF), Johannes Norpoth (unten) | S. 94: © Pixelio (RF), Antje Schröter | S. 97: © Fotolia (RF), Julian123 | S. 100: © Fotolia (RF), ctacik | S. 108: © Shutterstock (RF), Tonis Valing (oben) – © iStockphoto (RF), Catherine Yeulet (Mitte) | S. 109: Wikipedia, Gemeinfrei, © Cybershot800i (1) – © iStockphoto (RF), Spiderplay (2) – Wikipedia, Creative Commons 2.5 US-Amerikanisch Namensnennung, © Infrogmation (3) – Wikipedia, Gemeinfrei, © pepe0312 (4) | S. 118: © iStockphoto (RF), Rich Legg (oben) – © Fotolia (RF), Oliver Flörke (unten) | S. 119: © Fotolia (RF) (oben) – © Shutterstock (RF), VR Photos (unten) | S. 123: © Cornelsen Verlag, Hugo Herold | S. 128: © Shutterstock (RF), mattomedia Werbeagentur | S. 129: © Fotolia (RF), Heino Patschull (oben) – Leonardo Franko (1.) – © Cornelsen Verlag, Nicola Späth (2.) – © Shutterstock, Gyuszkofoto (3.) – Wikipedia, Gemeinfrei, © Karl Joseph Stieler (4.) – © Fotolia (RF), Farida (5.) | S. 131: © Fotolia (RF), Sven Weber

S. 16: © Picture Alliance, dpa-Zentralbild, Ralf Hirschberger (links) – © Kinowelt/Cinetext (Mitte oben) – © Picture Alliance, PHOTOSHOT POOL (rechts) | S. 20: © Cinetext Bildarchiv (links, 2. v.l.) – © Picture Alliance, KPA (Mitte) – © Cinetext /Constantin Film (2.v.r.) – © Picture Alliance, Constantin Film (rechts) | S. 26: © Björn Kietzmann (oben links) – © Picture Alliance, dpa/Andreas Gebert (oben rechts) – © Picture Alliance, Zentralbild/Volker Heick (unten rechts) | S. 33: © Helen Knust | S. 36: © Sammlung Gesellschaft Ökologische Forschung (a) | S. 40: © Picture Alliance, dpa/Andreas Gebert | S. 47: © Picture Alliance, DeFodi (a) – dpa/Rainer Jensen (c) | S. 63: © Ullsteinbild, NMSI/Science Museum/Kodak Collection/NMeM (oben) | S. 84: © Picture Alliance, dpa/Wolfgang Kumm | S. 88: © Statista 2010 | S. 106: © Stadtvermessungsamt Frankfurt am Main, 2011

Mit freundlicher Genehmigung von
S. 23: © Quade & Zurfluh AG, Zürich | S. 28: © Karl Rabeder | S. 42: © WWF Deutschland – Bund Naturschutz in Bayern e.V. – Greenpeace e.V. – Bund Naturschutz in Bayern e.V. (von oben nach unten) | S. 47: © Tourismus Salzburg (b) | S. 50: © Tagesschau – © 94,3 rs2 Berlin-Brandenburg | S. 53: © Deutscher Bundestag, Julia Nowak-Katz | © 57: © Danone – © Auer Fruchtsäfte – © Wagner – © Ferrero (von oben nach unten) | S. 72: © Detlef Cordes | S. 96: © Tiergarten Nürnberger | S. 102: © Busch Daehn

Textquellen
S. 23: Elli Michler in „Dir zugedacht", © Don Bosco Verlag, München 2010, 20. Auflage | S. 33: © Helen Knust, echt 1/2011

Illustration Krimi: © Cornelsen Verlag, Josef Fraško

Inhalt Lerner-CD – Hörtexte für die Übungen

Nr.	Übung zu	Titel	Seite	Laufzeit
1		Rechtsbelehrung		0:50
		1 Über das Lernen		
2	7–3c)	Ein besonderes Gehirn	77	2:53
3	9–2)	Konjunktiv oder Präteritum?	78	0:48
4	9–3)	*Er hätte gern ...*	78	1:06
5	13–2)	Umlaute	79	1:10
		2 Märchenwelten		
6	13	Karaoke: die Kino-Verabredung	85	1:20
7		Prüfungsvorbereitung Hören, Teil 1	86	3:16
		3 Werte und Wünsche		
8	1	Was ist Ihnen am wichtigsten?	88	2:58
9	4–1)	Reaktionen	89	1:57
10	12–3)	*Was, du hast keine Lust ...?*	91	1:56
11	17	Was hören Sie: *d-t, g-k, p-b*?	91	0:40
		4 Klima und Umwelt		
12	2–2/3)	Das Wetter in Österreich	94	1:17
13	9	Konsonantendiktat	96	0:22
		5 Aktuell und kulturell		
14	3–1/2)	Radio Z: Zu zweit statt alleine!	100	1:50
15	5–4)	*Was? Wofür ...?*	103	1:21
16	9	Frageintonation	104	0:47
		6 Gut essen		
17	9–3)	Erfindungen aus aller Welt	109	1:27
18	12	Karaoke: die Einladung	109	1:13
19	13	Die Bestellung: Detailverstehen	109	1:53
20		Prüfungsvorbereitung Hören, Teil 2	110	6:40
		7 Dienstleistungen		
21	2–1)	*Ach so!*	112	1:50
22	2–2)	*Ach so!* – der Vergleich	112	1:20
23	13–3)	*Nein, ich lasse ...*	115	1:18
24	17	Karaoke: beim Frisör	115	1:29